오늘의 아침밥

성상현

오늘의 아침밥

발　행 | 2024년 07월 29일
저　자 | 성상현
표지 일러스트 | 박진영
펴낸이 | 한건희
펴낸곳 | 주식회사 부크크
출판사등록 | 2014.07.15.(제2014-16호)
주　소 | 서울특별시 금천구 가산디지털1로 119 SK트윈타워 A동 305호
전　화 | 1670-8316
이메일 | info@bookk.co.kr

ISBN | 979-11-410-9792-9

오늘의 아침밥

성상현 지음

수없이 많은
어제의 아침밥을 만들어 주신
반짝반짝 빛나는
엄마 두 손에

목차

프롤로그_오늘의 아침밥

어제의 기억 한 술, 오늘의 다짐 한 술, 정성껏 차린 한 끼

코로나 때문이라고 변명하기엔 구차한, 그간 꾸준히 불어난 체중과 만성 식도염. 반성하기 딱 좋은 12월이 어김없이 찾아왔고, 때마침 받은 건강검진 결과에서 수치로 드러난 몸 상태는 최고의 동기부여가 되었다. 늘 주고받는 덕담이지만, 새해에는 정말로 '건강'하고 싶었다. 건강을 위해서 누군가는 야식이나 술을 줄일 테고, 또 누군가는 바디 프로필을 찍기 위해 열심히 몸을 만들겠지만, 그저 내가 마음먹은 한 가지는 '아침밥'을 꼬박꼬박 챙겨 먹기.

5년간 타지 생활을 하다가 지난해 본사 발령으로 본가로 돌아왔다. 전보다 통근 시간이 세 배로 늘어난 터라 일찍 일어나는 일이 고역이었다. 그 와중에도 아침밥을 거를 순 없었다. 아침밥은 꼭 챙겨 먹어야 한다는 부모님의 일념 하에서 아침잠을 포기하고, 이른 아침마다 정체불명의 건강 주스와 일정량의 야채를 먹어야 했다. 한 달 정도 지났을까, 그동안 더부룩하던 속이 거짓말처럼 편안해졌다. 타지에서 불규칙한 식습관으로 생긴 증상이었다. '아침밥' 효과를 톡톡히 보았다. 하지만 주말까지 이어지는 이른 아침밥 루틴은 괴로웠다.

다섯 달 뒤 독립했고, 아침밥의 굴레에서 해방되었다. 잠자는 시간을 좀 더 확보했고, 출근 후 빵이나 삼각김밥으로 아침을 해결했다. 사실 몇십분 더 잔다고 해서 피곤함이 덜해지는 건 아니었고,

아침밥 사 먹는 돈도 만만치 않게 나갔다. 저녁에는 혼자 해 먹다 보니 2인분의 양을 해놓고 아까워 다 먹어 치우거나 먹다 남은 걸 냉장고에 오래 방치하다 상하는 일이 다반사였다. 점점 외식하는 날도 늘어갔다. 체중은 신기록을 날마다 경신했고, 다시 찾아온 식도염으로 잔기침을 달고 살았다. 어찌 보면 '아침밥'이 다시 떠오른 건 당연한 수순이었다.

지난해 한 달간 '문토(https://www.munto.kr)'에서 열린 일상 기록모임에 참여했던 적이 있다. 하루를 보내며 발견한 작은 행복의 순간을 기록하는 게 모임의 공통 미션이었다. 한 달간 각자의 기록을 채워나가는 일에 열다섯 명이 함께 했다. 한 주가 지나고, 댓글로 주고받는 따뜻한 말들이 든든한 용기가 되어 한 달간 즐겁게 기록했다. 새해에도 '밑미(https://www.nicetomeetme.kr)'에서 비슷한 기록 모임이 있다는 소식을 듣고 얼른 신청했다. 지난번보다 더 많은 스무 명의 인원이 참여했고, 이번에는 각자 기록하고 싶은 주제를 정해야 했다. '오늘의 소중함', '오늘의 딴짓', '오늘의 행복', '오늘의 문장' 등 저마다 다양한 기록서랍들을 만들었다.

기록서랍으로 삼은 인스타 부계정 "오늘의 아침밥"

나의 기록서랍에는 ´오늘의 아침밥´이라는 이름표를 붙였다. 어제의 기억 한 술, 오늘의 다짐 한 술, 정성껏 차린 한 끼로 든든히 하루를 여는 아침의 시간을 만들어보기로 마음먹었다. 사실, 타인에게 아침밥을 보여주는 게 부끄러운 일인지 첫날 기록을 올리고 나서야 깨달았다. 적나라하게 담기는 나의 밥상이 곧 나의 일상이었다. 배달시켜 먹고 남은 음식이나 매일 똑같은 반찬이나 엉망진창으로 만든 정체불명의 반찬이 고스란히 아침밥 기록에 담겼다.

시간이 약인지, 어디에서 온 자신감인지는 몰라도, 아침밥 기록은 무려 한 달간 이어졌다. 차곡차곡 쌓인 20개의 아침밥 기록이 내게 전해준 작은 행복과 용기의 마음들을 여기에 다시금 하나씩 하나씩 풀어내려 한다. 매일 아침 나에게 건네는 "좋은 아침"과 더불어 "오늘도 잘 먹겠습니다"로 두 손 모으고.(22.02.07)

"

매일 아침

나에게 건네는

"좋은 아침"과

더불어

"오늘도 잘 먹겠습니다"로

두 손 모으고.

새해 떡국

차곡차곡 쌓인 아침밥의 기록이 건네는 말들

#1 새해 떡국

연말이라고 신이 나서 마신 술로 인해 골골대던 주말이었다. 본가에 들러 떡국 한 그릇으로 해장하고, 어머니가 싸주신 떡국떡으로 지난밤 한소끔 끓여 놓은 셀프 떡국. 아침에 계란을 풀어 한 그릇 뚝딱하니 오늘 하루의 에너지를 완충한 기분으로 시작하는 새해 첫 출근의 아침이 되었다. 이 마음으로 일월의 순간들을 모으기로.(22.01.03)

흰쌀밥, 떡국, 우엉조림, 깍두기, 멸치볶음

#2 크림 떡국과 동치미 국물

고작 새해 첫 주인데, 퇴근하고 마음이 한없이 움츠러들어 아무것도 하지 않은 채 눕고 말았다. 작심삼일도 못 채우고 순식간에 무기력해지는 내가 싫어 무거운 몸을 일으켰다. 내일 아침을 먹기 위해 저녁을 먹기로 마음먹는 요상한 이유로.

냉장고를 열었다. 유통기한이 남았지만 오래전에 사놓은 크림 파스타 소스, 아직 남은 떡국떡을 넣고 정체불명의 요리를 만들었다. 지난밤 한 그릇을 깨끗이 비워 내니 힘이 조금 났지만, 긴장이 풀어졌는지 스르르 잠들고 말았다.

오늘 아침, 조금 심심한 것 같아 생각 없이 치킨스톡 한 조각을 투척했다. 이렇게나 짤 줄이야. 한 달 치 염분을 먹는 기분에 숟가락을 내려놓고, 동치미 국물만 한 사발 들이켜고 출근하는 아침, 오늘은 어제 밀린 계획들도 차근차근 해나가기로 다짐하고 다시 한번 힘을 내보기로.(22.01.04)

크림 떡국, 동치미, 해시브라운, 멸치볶음, 총각김치, 귤

#3 잡곡밥과 크림수프

다시 부쩍 추워진 이런 날에는 왜인지 어릴 적 엄마가 끓여주시던 오뚜기 수프가 생각난다. 퇴근하고 집 앞 마트에서 오뚜기 수프

를 종류별로 하나씩 집어 드니 부자가 된 기분.

크림수프를 고르고, 흰쌀에 잡곡을 섞어 만든 밥을 짓고, 후식으로 귤과 우유를 꺼내 놓으니 그럴싸한 아침 밥상에 뿌듯한 아침이 되었다. 이게 뭐라고, 새해라 갑작스러운 변화를 기대했던 내게 조금 실망하고 또 조금은 지쳤던 마음을 토닥인다.

따뜻한 수프에 밥을 말아서 후루룩 먹고 나서는 바깥은 영하 9도인데도 그리 춥지 않아 가슴 활짝 펴고 걸어보는 작심삼일의 마지막 날(22.01.05)

잡곡밥, 크림수프, 멸치볶음, 파김치, 귤, 아몬드브리즈

#4 계란말이와 시래기 해장국

지난밤 풀어둔 계란물에 치즈 한 장을 넣어 계란말이를 만들고, 해동시켜둔 냉동 잡곡밥을 전자레인지에 돌리고, 동결건조 국 블록을 뜨거운 물에 풀고, 엄마의 김치를 꺼내면 오늘의 아침밥 준비 완료.

오늘 생각보다 늦게 일어났지만, 아침밥을 포기할 순 없지. 3년 차 서당개가 풍월을 읊는 동안 3일 만에 아침밥을 뚝딱 차리는 내가 대견하고, 드디어 냉장고에 가득 찬 엄마의 김치가 줄어들 기미가 보인다.

어제는 이틀간 미루던 영어 숙제 중 하루치만 간신히 끝냈고, 운동은 아직 시작도 못했다. 아침밥 먹는 일만 간신히 해내는 것 같지만, 조급해하지 말고 차근차근 한 걸음씩 발을 내딛기로.(22.01.06)

잡곡밥, 시래기 해장국, 계란말이, 멸치볶음, 파김치, 총각김치, 귤

#5 그릭요거트와 과일

냉장고에서 쿨쿨 잠들어 있던 그릭요거트를 발견. 유통기한이 조금 지나서 혹시 몰라 한 숟갈 떠먹어보니 다행히 괜찮았다. 아침으로 먹기로 마음먹고, 냉장고에서 과일들을 꺼내 먹기 좋게 썰어두었다.

오늘도 역시 조금 늦게 일어났지만, 요거트라 그런지 꽤나 간편하고도 든든한 아침이 되었다. 어제는 유혹을 참지 못해 치킨을 시켰고, 아침에서야 죄책감을 조금이나마 덮었다. 그런 걸로 합시다..

벌써 금요일이고, 다섯 번째 아침밥의 게시물이다. 한 주가 어찌 지나는지도 모르던 내게 차곡차곡 쌓인 아침밥의 기록이 건네는 말들이 있다. 어떤 날엔 의욕이 앞서고, 다음날엔 갑자기 아무것도 하기 싫은 들쭉날쭉한 마음과 기분에도 불구하고 작은 약속 한 가지는 지켰다고. 아직 미뤄둔 일들이 눈에 보이지만, 그것들도 차근차근 하나씩 풀면 될 거라고. 거창한 계획들로 마음만 분주했던 한

주간 이만하면 잘 해냈다고.(22.01.07)

그릭요거트(바나나+블루베리+사과+꿀), 사과, 귤, 아몬드브리즈

"

한 주가 어찌 지나는지도
모르던 내게
차곡차곡 쌓인 아침밥의 기록이
건네는 말들이 있다.

간장계란밥과 양배추 샐러드

꾸준한 기록이 주는 힘을 충분히 경험하는 요즘

#1 배달 음식 반찬과 동결건조 국 블록

고삐 풀린 망아지처럼 신나게 노느라 늦게 일어나서 간신히 아점을 먹던 주말의 끝에서. 다신 미루지 않으리라 다짐하며 밀린 영어 숙제를 해치우고, 경건한 마음으로 내일 먹을 아침을 준비했다. 배달 음식 시켜 먹고 남은 반찬, 하나 남은 동결건조 국 블록, 반쪽 남은 사과, 지난주 냉동시킨 잡곡밥까지.

밀린 과제 끝내고 자느라 두시를 넘겼는데도 연이어 울리는 알람 소리에 반응하고 몸을 일으키니 새벽 다섯 시 반. 피곤하다고 오늘부터 포기하면 내일도 못 할 것 같은 조바심이 나를 움직였다. 새벽까지 영어 숙제를 붙잡고 있던 이유도 마찬가지. 무리하면서 나를 혹사시키면 안 되지만, 나와 약속했던 첫 마음을 저버린다면 더는 다음 약속을 잡을 수 없을 것 같았다.

작심삼일이 당연해지고, 계획 세우는 일에만 열심인 나에게. 새해에는 조금 더 나를 믿어보고 싶고, (김신지 작가님의 책 <평일도 인생이니까> 아니면 <좋아하는 걸 좋아하는 게 취미>에서 보았던 문장처럼) 나도 "단

단하게 버텨낸 한 발의 힘을 빌어 다음 발을 내딛고 싶다."(22.01.10)

잡곡밥, 시래기 된장국, 무말랭이, 깍두기, 오징어젓갈, 사과, 아몬드브리즈

#2 간장계란밥과 양배추 샐러드

지난 일요일 밤 벼락치기의 여파가 꽤 오래가는지 어제 점심에는 기절하듯 낮잠을 자고, 저녁에는 10시쯤 스르르 잠들고 말았다. 그렇다고 일찍 일어나지도 못했다. 간신히 일어나 냉장고에 뭐가 있나 보았다. 계란 두 알, 채 썰어둔 양배추, 오징어젓갈, 동치미.

손쉬운 간장계란밥을 호다닥 만들고, 반찬들을 꺼내놓으니 꽤나 든든한 아침밥상이 차려졌다. 실패할 리 없는 간장계란밥 한 술에 행복의 입꼬리가 올라갔다. 그 순간도 잠시, 호다닥 밥그릇을 비워내고, 출근 준비로 또다시 호다닥.

요즘 아침밥은 잘 차려먹지만, 저녁밥은 부실하게 또는 불량(?)하게 먹고 있다. 점점 불어나는 체중의 압박을 셔츠와 코트 단추들이 간신히 버텨내고 있는데. 당장 운동이 어렵다면 단식은 못 해도 조금은 가볍게 먹고, 조금이라도 몸을 움직여 보기로.(22.01.11)

간장계란밥, 양배추 샐러드, 오징어젓갈, 동치미, 귤, 아몬드브리즈

#3 흑미밥과 고추장아찌

　오늘은 벌써 수요일. 지난주와 별반 다를 것 없이 영어 숙제를 미루고, 운동 안 하고, 먹는 것도 줄이지 못하는 건 여전하지만. 그날 먹은 것들은 그날 설거지하고, 아침 차리는 속도가 조금 빨라지고, 지난 벼락치기 덕분인지 영어 숙제에 대한 부담도 조금 덜어냈다.

　어제는 엄마의 생신이었고, 본가에 들러 축하해드리고 돌아오는 길에 고추장아찌를 조금 얻어왔다. 부모님이 잘 안 드시는 스팸과 고추참치 통조림도 한 개씩 챙겼다. 냉동밥이 다 떨어져서 자기 전에 흑미밥을 안쳤다.

　계획은 잔뜩 세워놓고, 정작 행동으로 옮기는 건 늘 거기서 거기이지만. 지난주와 달리 이번 주에는 조금이나마 나아지고 있고, 아직도 꾸준히 아침밥을 챙겨 먹고 있다는 사실이 주는 보람과 든든함으로 으쌰으쌰 힘내 보는 오늘 아침.(22.01.12)

흑미밥, 오징어젓갈, 고추참치, 고추장아찌, 동치미, 바나나, 아몬드브리즈

#4 오트밀과 블루베리

　점점 늘어나는 체중과 조여 오는 셔츠의 압박에 맞서, 일주일에 이틀 정도는 조금이라도 가벼운 식사를 해보려고 오트밀을 주문했다. 전날 밤 아몬드브리즈에 오트밀을 재워두고, 아침에는 그 위에 냉동 블루베리를 가득 넣었다. 처음이라 양을 가늠할 수 없어 시리얼 먹는 정도로 준비했는데 생각보다 양이 꽤나 많았고 배도 불렀다.

　지난 연말에는 예년과 달리 새해에 하고 싶은 것들을 호기롭게 술술 썼고, 3X3 새해 빙고도 만들었다. 빙고 한 줄 지우려면 일분 일초도 허투루 쓸 수가 없는데 먼 산 보듯 한없이 게을러지는 청개구리 심보가 되고 말았다. 해가 바뀌면 나도 새롭게 짠하고 달라질지도 모른다는 뜬구름에 또 올라탄 셈이다. 해마다 쳇바퀴 굴러가듯 비슷한 모양새로.

　그렇게 나는 또 한 번 일월이라는 시험대에 서 있다. 보름 가까이 아침밥의 시간을 지켜내고 있고, 느릿느릿 나의 속도로 미루거나 아직 손대지 못한 채 곳곳에 널린 것들을 주섬주섬 걷고 있다.

다시금 자세를 가다듬고 반듯하게 개어 제자리에 놓아두는 순간을 수없이 반복해야 한다. 일월이 지나고 나면, 손놀림이 조금은 부드러워지고, 나만의 적당한 속도를 찾을 수 있기를 바라며.(22.01.13)

오트밀, 아몬드브리즈, 블루베리, 사과, 귤, 오렌지주스

#5 흑미밥과 쏘야볶음

칼퇴하고 곧장 집으로 와서 한껏 여유 부리던 어젯밤. 오랜만에 요리해 먹고 남은 비엔나 소시지, 파프리카로 내일 아침에 어떻게 먹을까 고민하다 떠오른 쏘야볶음. 이제는 자기 전에 다음날 아침밥 고민하는 게 당연한 일상이 되었어도.

역시나 제시간에 아슬아슬하게 일어나는 건 일 년이 지나도 적응되지 않는다. 그저 무시로 울리는 밀린 알람들을 하나씩 끄는 일만 익숙해졌다. 허나 아무리 시간 없어도 아침 먹는 건 포기할 수 없지. 번갯불에 콩 구워 먹듯 아침밥상 차리는 속도만 빨라진다. 그렇게 탄생한 쏘야볶음이 나쁘지 않아서 다행이고.

벌써 절반을 넘긴 아침리추얼은 반환점을 돌고. 피드에 차곡차곡 쌓인 아침밥 게시물이 주는 뿌듯함과 더불어 아직 미뤄둔 계획을 돌아볼 수 있는 여유가 조금 생겼다. 꾸준한 기록이 주는 힘을 충분히 경험하는 요즘, 혼자가 아닌 함께하는 동지들이 밤늦게까지 애쓰며 기록하는 열심과 랜선 너머 곳곳에서 공감해 주는 따뜻한 마음들이 더없이 소중해 새삼 감사한 아침 출근길.(22.01.14)

흑미밥, 고추장아찌, 소시지 야채볶음, 동치미, 사과, 아몬드브리즈

"

아직도
꾸준히 아침밥을 챙겨 먹고
있다는 사실이 주는
보람과 든든함으로
으쌰으쌰 힘내 보는
오늘 아침

1월 3주차

흰쌀밥과 고등어구이

뿌듯함 한 움큼 집어 먹고 시작하는 오늘 하루도 그렇게

#1 카레밥과 3첩 반상

주말 동안 집콕하면서 혼자 유난스럽게 삼시세끼를 해결했다. 어제 점심으로 카레우동을 해 먹으면서 조금 덜어둔 카레와, 본가에서 가져온 새로운 반찬이 오늘의 아침밥이 되었다.

아침밥을 준비하고, 역시나 밀린 영어 숙제를 턱 끝에서 간신히 해치운 주말의 끝에서. 내일부터 먹을 가벼운 저녁으로 요거트와 바나나도 챙겼다. 운동도 다시 시작하려는 나는 또 새로운 시작 앞에서 꽤나 의욕적이다.

작심삼일의 어디쯤에서 나는 지칠까, 아니면 폴짝 뛰어넘어 금요일에 다다를까. 알 수 없는 한 주의 출발선에서 오늘도 든든히 배를 채우고 문을 나섰다. 영하 10도를 가리키는 오늘의 날씨는 생각보다 춥지 않아 발걸음이 가볍고, 새로 산 김서림 방지 안경수건 덕분에 평소와 다른 출근길의 풍경이 꽤나 맑고 신선하다.(22.01.17)

카레밥, 마늘종, 진미채볶음, 고추장아찌, 귤, 사과즙

#2 토달볶과 낫또

저녁을 가볍게 먹기로 한 첫날부터 밀려오는 공복감이 오랜만이라 반가우면서도 어색하던 지난밤, 나는 그저 내일 아침은 뭐 먹지, 그것만 생각했다. 토마토달걀볶음을 만들어놓고, 남은 토마토 몇 조각을 설탕에 재워두었다. 든든한 아침을 기대하며 잠을 청했다.

아뿔싸, 오늘은 평소보다 좀 더 늦잠을 자고 말았다. 시간 없어도 아침은 먹겠다는 의지로 서둘러 밥상을 차리니 오늘은 6첩 반상이 되었다. 허겁지겁 먹고 호다닥 씻고 준비하고 밖으로 나와 시간을 보니 이 정도면 세이프.

어제는 백만 년 만에 운동하고 와서 체중계에 올랐다. 미세하게 줄어든 몸무게와 눈곱만큼 늘어난 골격근량에 기뻐하는 내가 조금 웃기지만은. 그렇게 느릿느릿 조금씩 변해가는 나를 칭찬하고 토닥이며 오늘도 힘내 보기로.(22.01.18)

쌀밥, 토마토달걀볶음, 진미채볶음, 고추장아찌, 마늘쫑, 낫또,
토마토 설탕절임, 아몬드브리즈

#3 흰쌀밥과 고등어구이

　새해 들어 내내 피곤했다. 집에만 오면 그저 쉬고 싶어 늘어지다가, 뒤늦게야 밀린 영어 숙제하느라 한두 시쯤 자기 일쑤였다. 새해 중간 점검을 하면서 수면시간을 확보하기로 마음먹었다. 6시간은 자기로.

　어젯밤 해동시켜둔 냉동 고등어 한 마리를 구웠다. 급히 굽느라 조금 덜 익은 게 아쉬웠지만, 아침에 생선을 구워 먹는다는 사실만으로도 괜히 뿌듯했다. 다음 주 아침으로 먹을 것을 미리 사서 냉장고를 채우는 일 또한 주말의 소소한 즐거움이 되었다.

　"아침밥 꼭꼭 챙겨 먹고, 잠 충분히 자고, 밤늦게 뭐 먹지 말고, 운동 꾸준히 하라"는 엄마의 잔소리 같은 말들을 하나씩 행동으로 옮겨보는 요즘. 그것들이 주는, 어제를 무탈하게 보낼 수 있는 건강과 오늘을 여는 체력과 내일을 그려볼 용기로 또 한 걸음을 내딛게 한다.(22.01.19)

흰쌀밥, 고등어구이, 스팸구이, 토마토달걀볶음, 마늘쫑,
고추장아찌, 진미채볶음, 귤, 아몬드브리즈

#4 프렌치롤과 계란스프레드

계획대로 완벽히 해내지 못해도 실망하지 않는 연습을 하고 있다. 여기까지 온 것도 대단하다는 과한 셀프칭찬으로 스스로를 토닥이곤 한다. 이게 뭐라고, 뭐든 쉽게 포기하고 뒷걸음치던 나를 일으켜 반걸음이라도 내딛게 한다.

알람 수십 개가 스치고, 마지노선 앞에서 간신히 눈을 떴다. 지난밤 예약 걸어둔 밥솥은 묵묵부답. 급히 빵을 굽고, 냉장고에서 이것저것을 꺼냈다. 급조한 것치곤 꽤 근사한 조식이 되었다.

때론 맘처럼 되지 않거나 예상 못한 상황에 맞닥뜨리는 순간들이 찾아온다. 그럴 땐 쉬이 짜증도 나고, 그동안 해온 것들을 와르르 무너뜨리고 아무것도 모른 척 웅크리게 된다. 아직은 너무 이른 1월이고, 네모난 아침밥상의 기록이 차곡차곡 쌓이는 것을 매일같이 보고 있다. 그래, 지난주보단 밀린 영어 숙제 개수가 줄었고, 어제보단 수면시간을 삼십 분 더 확보했고, 어제보다 소수점 단위로 체중이 줄었다. 그거면 됐지, 뭐.(22.01.20)

프렌치롤, 아보카도, 계란후라이, 토마토 설탕절임, 계란스프레드,
마늘버터잼, 애플버터잼, 블루베리그릭요거트, 바나나, 아몬드브리즈

#5 아보카도명란마요비빔밥과 계란후라이

어제 아침까지 묵묵부답이던 밥솥을 깨워 흰쌀밥을 그릇에 담고, 해동해둔 냉동 아보카도를 썰어 넣고, 오늘은 성공한 계란후라이를 올리고, 때마침 남아있던 김가루를 뿌리고, 작고 귀여운 통에 든 명란마요를 맘껏 짜고, 고소한 참기름을 두르니 아보카도명란마요비빔밥 완성!

어제는 갑자기 생긴 약속으로 운동 계획을 잠시 미뤄야 했다. 생일 축하하는 자리에서 만난 반가운 벗들과 추억을 곱씹으며 웃고 떠드는 즐거움을 오랜만에 느꼈다. 아쉬움 뒤로 하고, 집으로 돌아와 리듬이 끊어지지 않도록 얼른 씻고, 내일 아침 준비를 하고 잠자리에 들었다. 평소와 달리 어느새 한 줌의 책임감을 쥐고 있음을 체감했다.

아침밥 기록 3주차의 마침표를 찍는 시점에 이전과 지금의 모습을 곰곰 비교해보게 된다. 냉장고에서 쓸쓸히 생기를 잃어가던 식재료가 비교적 줄어들었고, 그동안 속으로 수만 번 계획만 했던 일기쓰기를 꾸준히 쓰게 되었고, 귀찮고 싫기만 하던 아침시간을 조

금은 기대하며 잠든다. 뿌듯함 한 움큼 집어 먹고 힘내서 시작하는
오늘 하루도 그렇게.(22.01.21)

아보카도명란마요비빔밥, 동치미, 멸치볶음, 고추장아찌, 마늘쫑,
귤, 아몬드브리즈

"

작심삼일의 어디쯤에서

나는 지칠까,

아니면 폴짝 뛰어넘어

금요일에 다다를까.

알 수 없는 한 주의 출발선에서

오늘도 든든히 배를 채우고

문을 나섰다.

잔멸치 덮밥과 동치미

작심삼일에서 한 발짝 더 내디뎌 작심한달은 해냈다고

#1 오징어덮밥과 굴오뎅탕

주말에 먹고 싶은 걸 맘껏 먹기로 다짐하고 집콕. 먹고 자고 또 먹고 자니 몸무게는 다시 원점으로. 다만 좋은 건, 버리기 아까워 남긴 음식을 애써 먹을 일이 사라진 점. 냉장고에 차곡차곡 보관해 두면 내일 아침밥상에 오를 테니까.

오징어 비빔국수를 먹고 남은 건 오징어덮밥, 남은 생굴 넣어 끓인 굴오뎅탕, 배달음식 반찬이었던 묵은지, 부모님과 나눠 먹고 남은 체리 몇 알까지. 어느새 풍성한 아침밥상이 뚝딱.

설을 앞두고 있어 그런지 조금은 들뜬 마음으로 시작하는 월요일. 지난주보단 좀 더 운동도 열심히 하고, 영어 숙제도 제때 완료하고, 밀린 업무도 말끔히 끝내 놓기로 마음먹는 나는. 다시 체중이 줄고, 몸도 가벼워지고, 영어 숙제에 쫓기지 않고, 산뜻한 기분으로 설 연휴를 누리는 김칫국 원샷으로 시작하는 이 아침.(22.01.24)

오징어덮밥, 굴오뎅탕, 묵은지, 고추장아찌, 멸치볶음, 체리, 아몬드브리즈

#2 생낫또와 오뎅탕

다시 귀차니즘 재발이라 비상인데, 몸은 밍기적 밍기적. 그래도 자기 전에 아침밥 준비는 당연한 듯, 엊그제 한소끔 끓여놓고 절반은 얼려둔 오뎅탕과 냉동 생낫또 하나를 해동시켜 놓았다. 그다음, 잠자는 시간은 확보해야 한다는 계획 혹은 핑계로 해야 할 일들은 잠시 미뤄두고 곧장 잠에 들었다.

새해 첫 달이 끝나는 시점에 결국 나에게 편한 것만 골라 지키는 형국이 되었지만, 그래도 몇 가지는 계획대로 되고 있다는 것, 냉장고에 상한 음식들이 거의 없다는 것, 병든 닭 마냥 꾸벅꾸벅 조는 일이 줄어든 것은 셀프박수칠 만한 듯. 이리 잘 해내고 있음을 애써 찾아서 오구오구하는 마음을 자꾸자꾸 불러내기로.(22.01.25)

흰쌀밥, 오뎅탕, 단무지, 락교, 고추장아찌, 멸치볶음, 생낫또, 귤

#3 된장국수와 진미채볶음

주말이 아닌 평일에 이리 늦잠을 자다니! 왠지 일탈하는 기분으로 묘하게 시작하는 새해 첫 휴가의 아침. 아파트 관리사무소에서 음식물쓰레기 카드를 발급받는 게 이번 휴가의 목적이지만, 사실 늦잠 자는 호사를 누리고 싶었다. 아침밥이 아닌 아점을 준비하니 금방 주말이 선물처럼 배달된 기분.

지난 주말에 사두고 아껴 둔 유튜버 박막례 할머니의 된장국수 밀키트를 꺼냈다. 한 끼 식사라기엔 2인분이라 양이 많았지만, 역시 예상대로 거뜬히 비워냈다. 부른 배를 두드리며 여유롭게 집안을 둘러보니, 얼마 전 가지치기한 방울토마토가 잘 자라고 있고, 창밖 너머에는 미세먼지로 뿌연 풍경이 보인다. 아차, 주말에만 가능한 빨래 찬스를 까먹을 뻔!

벌써 정오가 가까워진다. 왜인지 휴가의 시간은 쏜살같고, 할 일은 또 무척이나 많다. 그러면서 나는 누워서 그것들을 생각한다. 정오가 지나면 부지런히 움직일 것을 다짐하면서. 게으름도 조금 피울 수 있는 게 또 휴가의 묘미!(22.01.26)

차돌된장국수, 마늘쫑, 묵은지, 단무지, 락교,
오징어진미채, 바나나, 귤, 오렌지주스

#4 간장계란밥과 황남빵

휴가 후유증이라 부르고, 오늘의 핑계라 쓰는 아침 시간. 침대에서 빠져나오는 건 늘 버겁다. 자는 동안 스쳐간 알람들이 밀리고 밀려 제맘대로 마구 울려댄다. 간신히 일어나 어제 안친 밥을 떠올리며 뭐 먹지 고민하다가, 그럴 땐 역시 간장계란밥이지 하고.

보온해 둔 따뜻한 흰밥 살포시 담고, 넉넉하게 계란 두 알 톡톡 깨고, 조금 남은 파프리카 두 조각 구워 잘라 넣고, 들기름 솔솔 뿌리면 오늘의 아침밥 완성.

흰밥 슥슥 비빌 때 따뜻한 김이 모락모락, 계란 노른자 톡톡 터뜨릴 때 고소함이 솔솔. 엄마가 챙겨주신 깻잎을 밥 위에 올려 입 안 가득 넣을 때 행복한 미소가 절로 지어지는 순간이 좋은 날. 침대에서 빠져나오길 참 잘했다고 생각하는 와중에 휴가 후유증은 곱게 접어 하늘 위로.(22.01.27)

간장계란밥, 된장국, 깻잎장아찌, 마늘쫑, 총각김치,
황남빵, 바나나, 귤, 사과즙

#5 잔멸치 덮밥과 동치미

연휴가 코앞이라 들떴는지 어느새 또 손 놓고 할 일을 미뤄둔 채 멀뚱히 바라보고만 있다. 어영부영 금요일을 맞이한 나는. 지난밤 예상 못 한 일정으로 늦게 들어와 간신히 침대에서 몸을 일으켰다.

어제 잠들기 전 냉장고 밖에 꺼내 놓은 잔멸치가 생각났다. 전자레인지에 돌린 따뜻한 밥 위에 잔멸치를 가득 얹고, 계란후라이를 올리고, 간장과 참기름을 두르니 오늘의 아침밥이 준비되었다.

4주간의 대장정이 마무리되는 오늘, 스무 번의 아침밥상이 차곡차곡 쌓였다. 새해 반짝 결심으로 꺼트리기엔 아쉬워 다음 달에도 계속 이어가기로 마음먹었다. 2월에도 아침은 여전히 피곤한 시간이 될 테고, 할 일을 미루는 나는 여전하겠지만. 작심삼일에서 한 발짝 더 내디뎌 작심한달은 해냈다고, 그렇게 적을 수 있어 뿌듯한 출근길 아침.(22.01.28)

잔멸치 덮밥, 깻잎장아찌, 마늘쫑, 총각김치, 동치미, 황남빵, 귤, 환우유

"

이리 잘 해내고 있음을
애써 찾아서
오구오구하는 마음을
자꾸자꾸
불러내기로.

프렌치롤과 계란스프레드

아침상 뚝딱 차려내고 사진 찍는 나는

#1 차돌된장국과 샤인머스캣

기나긴 연휴가 지나가고, 출근이 심히 어색한 목요일 아침. 잠시 손 놓고 있던 아침밥 기록은 까먹지 않고 기다렸다는 듯 아침상 뚝딱 차려내고 사진 찍는 나는.

지난번 된장국수 만들고 남겨둔 국물을 해동시키고, 당신 스스로도 참 맛있게 됐다는 엄마의 배추김치를 꺼내고, 누나가 보낸 샤인머스캣 몇 알을 그릇에 담았다.

허리 아플 정도로 누워만 있다 끝나버린 연휴보다 아침밥 먹고 출근하는 오늘이 왠지 더 좋은 내가 조금 이상해졌나 싶지만. 본격적인 2월에 첫 발을 내딛는 기분이 자못 상쾌하다.(22.02.03)

흰쌀밥 차돌된장국 깻잎장아찌 마늘쫑 배추김치 샤인머스캣 사과즙

#2 프렌치롤과 계란스프레드

명절에 밥솥을 본가에 빌려 드리고 안 가져온 데다 냉동밥도 다 떨어졌다. 냉동실에 얼려둔 빵이 생각나 얼른 두 개를 꺼내 토스트기에 구웠다. 하나 남은 계란 스프레드와 낫또도 꺼냈다. 간신히 아침밥의 구색은 갖추었다.

어제는 대선후보 토론회를 보며 폼롤러에 몸을 굴리고 가벼운 스트레칭을 했다. 이렇게 몸을 움직여 본 게 언제였나 싶어 개운한 기분이 들었다. 두 시간의 토론회는 끝났고 저마다 자기가 잘했다고 우기겠지만, 잿속에 남은 불씨에 일말의 안도감이 들었다.

금방 찾아온 주말에는 다시 플루트를 불어보기로 했다. 지난 연습 영상을 찾아보니 홀쭉한 내 모습에 한 번 놀랐고 무언가에 집중하는 내 모습에 또 한 번 놀랐다. 그때보다 지금 더 잘해볼 수 있을 것 같은 의욕이 샘솟는다. 어렵게 주어진 새 마음으로 오랜만에 플루트와 메트로놈과 거치대를 챙겼다. 혼자가 아닌 여전히 함께하는 친구들이 있어 또 한 번 용기를 내본다.(22.02.04)

프렌치롤, 계란스프레드, 낫또, 블랙올리브, 딸기잼, 애플터버잼, 아몬드우유

"

어렵게 주어진

새마음으로

오랜만에

플루트와

메트로놈과

거치대를

챙겼다.

불낙죽과 쌍화탕

격리기간 동안 잘 먹고 잘 자서 코로나도 이겨내고

#1 잡곡밥과 곶감

어제 오후에 받은 전화 한 통에 잠시 일상에 "일시정지" 버튼을 눌렀다. 곧바로 자가검사를 하고, 혹시 몰라 휴가 내고 느긋하게 일어난 오늘 아침. 여유로운 마음으로 그동안 계획만 세우고 지킨 적 없던 아침 요가를 해보고. 잔뜩 굳은 몸은 꿈쩍 안 해도 오랜만에 나는 땀이 반갑고 왠지 한결 가벼워진 기분으로.

본가에서 가져온 따뜻한 잡곡밥을 담고, 아직 조금 남은 동치미와 고추장아찌와 블랙올리브를 꺼내고, 엄마 말로는 요즘 제일 맛있다는 배추김치도 조금 꺼내고, 고기가 없는 것 같아 참치통조림도 하나 따고, 엄마가 이웃에게 받았다는 곶감도 후식으로 꺼냈다.

밥 먹고는 다시 자가검사를 하고, 한 줄을 확인하고 마음을 쓸어내린 후에는. 잔잔한 음악 틀어놓고 청소기 돌리고, 바싹 마른빨래를 걷고 반듯하게 개고, 점심을 생각하는 순간이 행복한 월요일.(22.02.07)

잡곡밥, 동치미, 블랙 올리브, 배추김치, 고추장아찌, 참치, 곶감, 아몬드브리즈

#2 검은콩밥과 차돌된장찌개

생각지 못한 꿀맛 휴가도 잠시, 또다시 출근해야 하는 아침이 도래했다. 일찍 눈은 뜨였으나 몸은 잔뜩 무겁고, 그저 눕고 싶은 마음이 굴뚝같다. 돌덩이 같은 몸을 일으켜 아침밥을 준비했다.

어제 점심으로 먹고 남은 차돌된장찌개를 전자레인지에 돌리고, 불린 검은콩 넣고 지은 흰밥도 담고, 새콤한 소시지 야채볶음도 살짝 데우고, 사과 한 쪽도 자르니 푸짐한 한상이 차려졌다.

평소보다 많은 양이어서 그런지 다 먹으니 배가 잔뜩 불렀다. 바로 눕고 싶지만, 어제에 이어 아침 요가 유튜브를 틀어 설렁설렁 따라 했다. 잔뜩 굳은 몸이 보내는 경고 신호가 여기저기서 들려와도 그저 눕고 싶은 생각만 나도 출근은 해야 한다. 오랜만에 목도리를 두르고 바깥 찬 공기를 가르며 자전거를 타고 역으로 향하는 아침시간이 꽤나 길게 느껴지는 오늘.(22.02.08)

검은콩밥, 차돌된장찌개, 소시지야채볶음, 김치,
고추장아찌, 사과, 아몬드브리즈

#3 불낙죽과 쌍화탕

어제 아침 자가검사 결과 두 줄을 확인하고, 곧바로 받은 PCR 검사 결과를 기다렸다. 몸은 무겁고, 두통에 목이 붓고 기침하면 몸이 울리며 아프고. 예상 못 한 상황에 꼼짝없이 집에 갇히고.

지난밤 누나가 문 앞에 두고 간 죽과 쌍화탕을 아침으로 꺼내 놓고, 전자레인지에 돌린 따뜻한 죽 한술 뜨니 조금 괜찮아지는 것 같다가 또 기침 컹컹. 그래도 잘 먹어야 금방 나을 테니 깨끗하게 싹싹 비웠다.

방금 전 PCR 검사도 양성으로 나오니 역시나 하는 생각에 마음이 되려 편해지고. 일주일간 격리하면서 어떻게 보내야 할지 고민되는 첫날.(22.02.09)

불고기낙지죽, 동치미, 계란찜, 배추김치, 장조림,
오징어초무침, 바나나, 쌍화탕

#4 삼계죽과 된장국

검체 채취일로부터 7일이 격리기간이라는데, 그렇다면 오늘이 3일차. 조금 괜찮아진 줄 알았는데, 지난밤 가슴을 울리고 목을 긁는 기침 때문에 잠 깨는 횟수가 잦았다. 베개에 머릴 대면 3초면 잠드는 나는 잠을 아예 설치진 않았지만, 일어날 때 몸이 꽤 찌뿌둥했다. 벨소리에 놀라 일어나니 엄마의 모닝콜이었고, 아침 챙겨 먹으라는 말에 겨우 몸을 일으켰다.

혼자 살기 시작한 이래로 가장 몸이 아픈 시기에 가까운 곳부터 먼 곳에 이르기까지 따뜻한 마음을 한 아름 받고 있다. 타인의 아픔을 공감하고 걱정해주는 마음이 결코 쉬운 일이 아님을 알기에 그 마음을 잊지 않기로 마음먹고는. 삼계죽과 된장국을 전자레인지에 돌리고, 죽과 함께 온 반찬들도 꺼내고, 사과즙을 유리컵에 담고, 바나나 한 개를 먹기 좋게 썰었다.

"밥도 잘 먹고 더 잘 자야지 또 앞으로 있는 일들을 잘 헤쳐 나갈 수 있잖아요"라는 어제 쇼트트랙 1500m 금메달을 딴 황대헌 선수의 말마따나 남은 격리기간 동안 잘 먹고 잘 자서 코로나도 이겨내고 내게 주어진 일들을 다시금 씩씩하게 잘해 나가기로 마음먹는 오늘은 햇살 좋은 날.(22.02.10)

삼계죽 된장국 계란찜 오징어젓갈 장조림 배추김치 바나나 사과즙

#5 트러플전복죽과 그릭요거트

격리 4일차. 지난밤에는 기침도 거의 안 했고, 물 마시고 싶어서 한 번 일어난 걸 제외하고는 푹 잤다. 무언가에 한참 쫓기는 꿈을 꾼 건 어제 본 드라마 때문인지, 몸이 회복 신호를 보내는 건지 모르겠지만.

어제 먹고 한 팩 남겨둔 트러플전복죽을 전자레인지에 돌리고, 남은 반찬을 꺼내고, 사과 한 조각을 깎아 반으로 나누고, 원래 회사에서 저녁에 먹으려 했던 (유통기한이 임박한) 그릭요거트도 딸기잼과 함께 준비했다.

지난밤에 한약 5일치가 도착했다. 대한한의사협회 한약무료지원 프로그램이었는데, 신속 친절한 비대면 진료와 더불어 집 앞 무료 배송까지. 병원에서 진료 받고 감동 받은 건 처음이었다. 아침 먹고 바로 한약 한 봉지를 컵에 담고 전자레인지에 돌렸다. 따끈한 한약을 천천히 마신 후 몸을 일으켜 창문들을 활짝 열고 환기시키는 금요일 아침.(22.02.11)

트러플전복죽, 동치미, 볶음김치, 장조림, 배추김치,
사과, 그릭요거트, 딸기잼, 아몬드브리즈

"

그래도

잘 먹어야

금방 나을 테니

깨끗하게

싹싹

비웠다.

주먹밥과 밀푀유나베

혼자의 일상이 점점 더 자연스러워지는 요즘

#1 냉동밥과 볶음김치

격리 7일차이자 마지막 날. 지난밤 약 먹고 따뜻하게 하고 푹 잤더니 몸이 한껏 개운하다. 아직 목 상태가 깨끗이 회복되지 않아 좀 더 상황을 지켜보는 중이지만, 그래도 감기 증상이 거의 사라지고 몸도 가벼워졌다.

오늘부로 죽만 먹던 생활을 청산하고 오랜만에 냉동밥을 꺼내 전자레인지에 돌렸다. 지난주에 얼려 둔 된장찌개와 소시지야채볶음도 데우고, 누나가 준 볶음김치와 열무김치도 꺼내고, 배달 음식 먹고 남은 새우장도 그릇에 담고, 하나 남은 바나나도 썰고, 사과즙도 컵에 따르니 이게 바로 진수성찬.

밥맛 돌아온 거 보니 안심이 되고, 갑자기 할 일들이 눈에 들어오기 시작한다. 설거지는 쌓여 있고, 출장 가야 한다는 카톡이 오고, 한 주간 제대로 들여다보지 않은 악보를 펼쳐보고, 집안 소독은 어떻게 해야 하나 고민되고, 격리해제 통지서는 어떻게 발급하는지 검색해 보다가. 건강한 몸이 허락하는 하루가 얼마나 행복하고 소

중한지 새삼 깨닫는 격리해제 앞둔 환자의 소감.(22.02.14)

검은콩밥, 차돌된장찌개, 소시지야채볶음, 볶음김치, 열무김치,
새우장, 바나나, 사과즙

#2 검은콩밥과 황태미역국

일주일 만에 출근이다. 자전거를 타고, 계단을 내려가는 기분이 낯설고도 상쾌하다. 바깥은 이렇게나 추웠구나 싶어 집이 최고라고 생각하면서. 어제는 자축하며 치킨을 먹었다. 그래서인지 아침 먹고 싶은 마음이 안 생기지만, 그래도 먹어야지 하고.

지난밤 해동시킨 검은콩밥을 전자레인지에 돌리고, 매형이 만들었다는 볶음김치를 꺼내고, 열무김치도 꺼내고, 동결건조 국 블록에 뜨거운 물을 부으니 황태미역국이 완성되고, 사과즙을 유리컵에 따르고, 하나 남은 그릭요거트와 사과버터잼을 올려놓으니 아침상이 뜨든.

든든하게 배 채우고 출근하는 이 시간이 아주 조금은 그리웠던 것도 같고. 에이 물론 금세 출근하기 싫다고 불평불만 쏟아낼 테지만. 아무튼 오늘 하루가 시작되었고, 이 추운 겨울이 지나가고 신선한 봄이 곧 찾아올 거라고.(22.02.15)

검은콩밥, 황태미역국, 볶음김치, 열무김치, 그릭요거트,
사과버터잼, 사과즙

#3 북엇국과 전복장

격리해제 후 첫 출근에 이어 첫 출장인 아침, 30분 더 자고 일어
나 느긋한 마음으로 늑장 좀 부리다가. 아침시간은 왜 이리 빨리
가는지 서둘러 가방 챙기고, 아침거리를 신속하게 꺼내보는데.

냉동밥을 전자레인지에 돌리고, 고모가 주셨다는 전복장을 꺼내
고, 고추장아찌와 열무김치도 내놓고, 동결건조 국블록에 뜨거운 물
부어 북엇국을 끓여내고, 샤인머스캣 몇 알 따고, 아몬드우유를 컵
에 따르니 오늘의 아침밥 완성.

보일러를 틀어도 실내온도가 쉬이 오르지 않던 지난밤과 다르지
않은 오늘 아침, 따숩게 털옷을 걸치고 체크목도리를 두르고 나서
는 아침, 자전거 손잡이 잡은 손이 시리고, 뜨거운 입김에 안경엔
물이 맺히니 겨울이 진하게 실감나고. 허나 나는 이제 곧 조금은
따뜻한 남쪽으로.(22.02.16)

검은콩밥, 북엇국, 전복장, 고추장아찌, 열무김치, 샤인머스켓, 아몬드브리즈

#4 스크램블드에그와 무채꿀절임

요즘은 저녁마다 올림픽을 보는데, 금세 열두 시가 되곤 한다. 출장 후 지친 몸을 소파에 누이고, 최선을 다해 멋진 결과를 만드는 선수들을 보노라면 짜릿한 기분이 들어 역시 보길 잘했다고 생각하다가 문득 며칠째 티브이만 보는 나를 보고 후회하는 쳇바퀴.

그럼에도 빼먹지 않고, 냉동밥을 전자레인지에 돌리고, 뜨거운 물을 부어 시래기해장국을 만들고, 계란 두 알로 스크램블드에그를 만들고, 늘 먹던 고추장아찌와 열무김치를 꺼내고, 엄마가 만드신 무꿀절임을 그릇에 담고, 아몬드우유를 한 잔 가득 따른다.

시차 적응(?) 중인 건지, 속도 더부룩하고 걷는 것도 힘겹고 바깥은 또 왜 이리 추운지. 물론 적응도 해야 하지만, 디폴트 값은 버티는 거라는 사실을 새삼 깨닫고 작금의 현실을 담담히 받아들이기로. 거기에 아침밥 먹는 습관을 살짝 얹은 채로.(22.02.17)

검은콩밥, 시래기해장국, 스크램블드에그, 열무김치, 고추장아찌,
무꿀절임, 아몬드브리즈

#5 주먹밥과 밀푀유나베

후유증인지 아직 깨끗지 않은 건지, 이따금씩 심한 기침을 하곤
한다. 그래서인지 더욱이 마스크도 잘 쓰고, 점심도 혼자 따로 떨어
져서 먹고, 집에도 일찍 귀가한다. 혼자의 일상이 점점 더 자연스러
워지는 요즘. 때로는 사람들과 어울리며 술 한 잔 기울이던 순간이
굉장히 오래전 일처럼 아득하다.

지난밤 알배추로 만든 밀푀유나베와 알배추구이 남은 걸 꺼내고,
역시 늘 먹던 고추장아찌와 열무김치도 내놓고, 냉동밥이 다 떨어져
전자레인지에 돌린 냉동주먹밥 3개를 밥 한 공기마냥 슥슥 비벼놓
고, 엄마가 보내주신 한라봉 한 개를 까서 오늘의 아침을 차려냈다.

요즘은 또 속도 그리 좋지가 않다. 죽만 먹다가 오랜만에 햄버거,
치킨, 피자 같은 고칼로리 음식을 뱃속에 많이 집어넣은 탓인지, 그
동안 너무 움직이지 않은 탓인지도 모를 일. 회복이 더디다고 느끼
는 게 나이 탓인가 싶어 어느덧 삼십 대 중반의 나를 실감하며 좀

더 돌봄이 필요하다고 생각하고는. 찬 공기에 옷깃을 여미는 아침의 출근길.(22.02.18)

김치치즈주먹밥, 불고기주먹밥, 알배추밀푀유나베, 알배추구이,
고추장아찌, 열무김치, 한라봉, 아몬드브리즈

"

건강한 몸이 허락하는 하루가
얼마나 행복하고 소중한지
새삼 깨닫는
격리해제 앞둔
환자의 소감.

전주비빔밥과 한라봉

잘 자고 잘 먹는 일이 더없이 중요한 일이 되어간다

#1 차돌된장찌개와 멸치볶음

주말 간 한결 나아진 몸으로 시작하는 아침이지만, 역시 일어나는 건 버거운 월요일. 새카만 창밖의 색깔과 영하의 온도를 확인하고는 아직 봄이 오려면 멀었나 싶고. 이 겨울 잘 나려면 든든히 먹어야겠다는 생각이 들고.

지난밤 안친 밥을 푸고, 꽤 오래전에 만든 냉동 된장찌개를 데우고, 엄마가 보내준 멸치볶음을 조금 덜고, 늘 먹던 고추장아찌와 열무김치를 꺼내고, 사과 반의반 쪽을 둘로 나누고, 아몬드 우유를 한 컵 가득 따르니 월요일의 아침밥 완성.

이틀 쉬었다고 사진 찍는 걸 깜빡하고 두 술 정도 뜨다가 깜짝 놀라 핸드폰을 들었다. 아침에 일어나 밥 차리고 사진 찍고 밥 먹고 정리하는 시간은 대략 20분. 20분이 차곡차곡 쌓여서 1월이 지나고, 2월도 끝이 보이기 시작하는데 3월에도 한결같기를.(22.02.21)

흰쌀밥, 차돌된장찌개, 멸치볶음, 고추장아찌, 열무김치, 사과, 아몬드브리즈

#2 흰쌀밥과 닭가슴살마라볶음

어제는 수요일 출장 때문에 병원에서 신속항원검사를 받았고, 음성이 나와 또 한 번 안심했지만. 아직 멈추지 않는 잔기침을 없애기 위해 사투를 벌이고 있다. 양약 한약 가리지 않고 먹고, 목에 좋은 것 있으면 입에 넣고 본다. 그리고 약을 먹기 위해선 아침을 든든히 먹어야 하니.

냉동밥 하나를 데우고, 끓는 물로 황태미역국을 만들고, 지난밤 만들어둔 닭가슴살마라볶음을 꺼내고, 멸치볶음과 열무김치도 내놓고, 사과 한쪽도 깎아내니 아침상이 준비되었다.

의욕적이던 마음과 달리 몸은 아직 격리기간에 머무른 듯 점심시간엔 엎드려 자기 일쑤이고 집에만 오면 눕기 바쁘다. 오늘만큼은 좀 더 몸을 부지런히 움직이려 하는데 과연. 기대는 많이 하지 않지만, 어제보단 좀 더 움직여 보기로. 그러면 잔기침도 금방 도망가겠지.(22.02.22)

흰쌀밥, 황태미역국, 닭가슴살마라볶음, 멸치볶음, 열무김치, 사과

#3 라스떡국과 한입떡갈비

　요즘 살뜰히 나를 챙기며 뒤늦게 예방주사를 이것저것 맞고 있는데 어제는 B형 간염 2차 예방주사를 접종했다. 예전과 달리 아프면 아무것도 할 수 없는 나를 너무 잘 알게 되어서일까. 잘 자고 잘 먹는 일이 더없이 중요한 일이 되어간다.

　냉동밥을 전자레인지에 돌리고, 이틀 전 불린 떡국떡이 있어 그 위에 물 붓고 따로 모아둔 라면스프와 건더기 털어 넣고 전자레인지에 돌리니 간편 빨간 떡국이 완성되고, 냉동떡갈비도 데우고, 멸치볶음과 열무김치를 꺼내고, 사과 한쪽을 둘로 나눠 그릇에 담았다.

　오늘은 처음 가보는 곳으로 출장 가는 날. 요즘 들어 우리나라도 안 가본 곳이 참 많다는 생각을 하곤 한다. 당일치기이지만, 그곳의 정취를 느낄 수 있는 곳을 잠시라도 들르면 좋겠다고 생각하다가. 잠시나마 여행하는 기분이 들어 괜스레 설레는 아침.(22.02.23)

흰쌀밥, 라면스프떡국, 한입떡갈비, 멸치볶음, 열무김치, 사과

#4 흰쌀밥과 삼치구이

잔뜩 성난 추위에 엉엉 울며 출퇴근하는 요즘. 김서림 방지 안경
닦이 효과도 잠시, 금세 뿌옇게 되는 바람에 할아버지처럼 안경을 살
짝 내리게 된다. 집에 오자마자 난방부터 자연스레 틀다 보니 관리비
는 껑충 뛴 지 오래. 주말엔 따뜻해진다는데 과연 봄은 오는 건가
물음표 뜨는 이 아침에도 조금 일찍 일어나 아침밥을 준비하는 나는.

하나 남은 냉동밥을 돌리고, 어제 해동해둔 냉동 삼치를 기름에
구워 소금 후추 솔솔 뿌린 후 시간이 부족해 전자레인지에 살짝 돌
린 다음 레몬즙을 조금 뿌려 삼치구이를 그릇에 담고, 멸치볶음과
고추장아찌와 열무김치를 꺼내고, 마지막 사과 한 쪽을 둘로 나누
고, 사과즙을 컵에 담았다.

기침은 많이 줄었지만, 날이 추워 그런지 목 상태는 아직 깨끗하
지 않고. 꾸준히 약 먹으면서 좀 더 지켜보기로 마음먹고는. 이제
곧 봄이 온다는데 깨끗이 회복된 몸으로 책도 열심히 읽고 운동도
힘차게 해 보기로 마음먹는 새 마음의 새 아침.(22.02.24)

흰쌀밥, 삼치구이, 멸치볶음, 고추장아찌, 열무김치, 사과, 사과즙

#5 전주비빔밥과 한라봉

　벌써 금요일, 벌써 2월의 끝자락에서 돌아보는 지난 두 달이 일년처럼 느껴진다. 그건 꾸준한 아침밥 기록 덕분이겠고, 다사다난한 순간들을 흘려보내지 않고 기록으로 기억했기 때문일지도. 그렇게 오늘 아침도 밥을 차려 먹기 위해 조금 일찍 눈이 뜨인다.

　냉동밥이 다 떨어져 전주비빔밥 주먹밥 두 개를 전자레인지에 돌려 비벼놓고, 바닥을 드러낸 동치미를 싹싹 긁어 담고, 하나 남은 닭가슴살마라볶음을 데우고, 열무김치와 멸치볶음을 꺼내고, 한라봉 반쪽을 한 알씩 떼어놓고, 새 아몬드우유를 개봉했다.

　주말이면 봄이 온다는데 아직은 겨울인 오늘 아침 출근길. 여전히 안경에는 잔뜩 김이 서리고, 매번 같은 옷차림으로 나서는 쳇바퀴 같은 하루의 시작이어도 이렇게 매번 다른 아침밥상과 새 마음으로 적어 보는 기록이 나를 구원한다.(22.02.25)

전주비빔밥, 동치미, 멸치볶음, 열무김치, 닭가슴살마라볶음,
한라봉, 아몬드브리즈

"

이렇게 매번 다른

아침밥상과

새 마음으로 적어 보는

기록이

나를

구원한다.

전복장과 설향 딸기

3월에도 한 발 한 발 힘차고 즐겁게 걸어가기로

#1 전복장과 설향 딸기

베란다 문 열어도 춥지 않은 오늘, 2월의 마지막 날에 서 있음을 실감하고, 3월이 오면 봄이 오는 자연스러움이 반갑고도 설레는 마음이 된다. 그래서인지 알람 끄고 5분만 더 자기로 했다가 정말 5분 후에 벌떡 일어난 오늘 아침, 2월의 끝자락에서 나는 다시 기운을 차렸다.

지난밤 안친 밥을 고봉으로 푸고, 두 개 남은 전복을 그릇에 담고, 비엔나소시지를 전자레인지에 돌리고, 멸치볶음과 동치미를 꺼내고, 설향 딸기 두 알을 반으로 쪼개고, 아몬드우유를 컵에 따랐다.

지난 주말에는 아침밥 거르고, 알람 없이 늦게 일어났어도 출근하는 날이면 벌떡 일어나 아침 챙겨 먹는 내가 여전히 생경하다. 그렇게 아침 먹고 든든한 기분으로 걷는 출근길의 발걸음이 가벼워지고, 내 마음도 조금 들뜨고 만다. 아직 체중은 그대로, 셔츠의 단추는 여전히 힘겨워 현실의 나는 그리 가볍지 않지만, 봄에는 조금이나마 여유를 찾게 될 거란 기대감이 새싹처럼 피는 월요일 아침.(22.02.28)

흰쌀밥, 동치미, 멸치볶음, 전복장, 비엔나소시지, 설향딸기, 아몬드브리즈

#2 치킨카레와 계란후라이

어제 오랜만에 땀 뻘뻘 흘리며 운동해서 그런지 온몸이 뻐근하지만 낯선 이 느낌이 좋은 아침. 휴일이라 조금 늦게 일어난 창밖은 잔뜩 흐리고 지난밤 내린 비로 베란다 난간에 송골송골 맺힌 물방울이 보이고. 봄이 오려나 싶은 3월 첫날에도 역시 아침 챙겨 먹으러 부엌에 들어가서.

흰쌀밥을 전자레인지에 돌리고, 끓는 물에 데운 인스턴트 카레를 밥 위에 얹고, 계란후라이도 그 위에 올리고, 동치미와 고추장아찌와 배추김치를 꺼내고, 네 알 남은 딸기를 씻고, 아몬드우유를 컵에 담았다.

비 오는 날과 흐린 날과 맑은 날 중에 오늘은 흐린 날이라 좋은 휴일에 여유로이 따뜻한 차 한 잔 옆에 두고, 미뤄둔 일을 꺼내놓고는. 세탁기는 열심히 돌고, 물기 머금은 노래가 집안에 흐르고, 지하철 안이 아닌 잠옷 입은 채로 소파에 기대어 오늘의 기록을 남기는 지금, 시간아 조금만 천천히 가주었으면.(22.03.01)

흰쌀밥, 치킨카레, 계란후라이, 동치미, 고추장아찌, 멸치볶음,
배추김치, 설향딸기, 아몬드브리즈

#3 북엇국과 한입김치전

휴일은 쏜살같이 지나가고, 또다시 시작된 출근의 일상. 지난밤 꽤 마셨는데도 말짱하게 일어났고, 출근을 준비하는 아침은 매번 찾아와도 언제나 낯설다. 그 낯선 기분에도 잊지 않고 밥 챙겨 먹겠다는 마음이 주는 어떤 안정감이 있다.

설익은 밥을 그릇에 담고, 끓는 물 부어 북엇국을 만들고, 한입 김치전과 한입 떡갈비를 기름에 부치고, 멸치볶음과 배추김치와 고추장아찌를 꺼내고, 아몬드우유를 컵에 담았다.

지난밤 따뜻했던 핫팩이 아침에도 온기를 잃지 않고. 3월이 왔어도 아직은 영하의 공기를 가르고 자전거를 타는 아침에 한 손에 핫팩을 꼭 붙들고. 그 온기가 오래오래 남아 있기를 바라며 시작하는 3월의 첫 출근.(22.03.02)

흰쌀밥, 북엇국, 김치전, 떡갈비, 멸치볶음, 배추김치, 고추장아찌, 아몬드브리즈

#4 비프카레밥과 샤인머스캣

배드민턴 고작 하루 한 것 가지고 며칠째 온몸이 쑤시고, 5분만 더 자고 싶어 연이어 울리는 알람을 자동반사적으로 끄기 일쑤. 봄이 오려나. 종내 늦게 일어나서는 없는 여유 부리며 늑장 피우는 나는. 그럼에도 아침밥은 챙겨 먹겠다며 부엌으로 들어가는데.

하나 남은 냉동밥을 전자레인지에 돌리고, 데운 비프카레를 밥 위에 얹고, 계란후라이를 하나 부치고, 고추장아찌와 멸치볶음과 김치를 꺼내고, 몇 알 안 남은 샤인머스캣 네 알을 씻고, 아몬드우유를 컵에 따랐다.

베란다 문을 여니 아직 쌀쌀한 것 같아 목도리를 두르고 나서는 아침, 서둘러 자전거를 타고 지하철역에 다다르니 생각보다 늦지 않아 한숨 돌리고. 어디서 왔는지 모를 간질거리는 봄마음으로 살짝 날아보는 목요일의 출근길.(22.03.03)

비프카레밥, 계란후라이, 고추장아찌, 멸치볶음, 배추김치,
샤인머스캣, 아몬드브리즈

#5 명란마요간장계란밥과 바나나

　지난밤 해야 할 일을 기어코 내일로 미뤄두었고, 그 내일이 오늘
이 되었다. 모레까지라 생각했던 일이 내일까지라는 사실을 뒤늦게
깨닫고는 더욱 다급해진 나머지 오늘은 반드시 끝내리라 다짐하며
노트북을 챙겼다. 아침밥 챙겨 먹듯 이 일도 반드시 끝내리라 굳게
다짐하면서.

　지난밤 안친 따뜻한 밥을 푸고, 그 위에 명란마요로 반쯤 덮고,
간장과 참기름도 솔솔 뿌리고, 계란후라이 두 개를 얹으니 명란마요
간장계란밥 완성. 한입떡갈비를 굽고, 멸치볶음과 김치를 꺼내고, 통
통한 바나나 하나를 먹기 좋게 썰어내고, 아몬드우유를 컵에 담았다.

　1월에 이어 2월의 기록모임도 오늘부로 끝난다. 혼자라면 할 수 없
었을 기록들이 서랍에 차곡차곡 쌓였다. 잠깐의 뿌듯한 이벤트로 끝내
기 아쉬워 아침밥은 지금처럼 부계정에 계속 이어가고, 더불어 새로운
주제로 기록하기로 마음먹은 건 혼자가 아니어서. 으쌰으쌰 서로 응원

하며 3월에도 한 발 한 발 힘차고 즐겁게 걸어가기로.(22.03.04)

명란마요간장계란밥, 한입떡갈비, 멸치볶음, 배추김치, 바나나, 아몬드브리즈

"

어디서 왔는지

모를

간질거리는 봄마음으로

살짝

날아보는

목요일의 출근길.

볶음두부면과 생낫또

아침 먹는 일은 손 놓지 않기로 마음먹고

#1 멸치볶음과 고등어무조림

세찬 바람에 이는 파도처럼 심하게 요동치던 주말이 지나고, 고요하게 맞는 아침. 두 달간의 기록모임도 끝나고, 이제는 혼자서도 아침밥의 기록을 씩씩하게 잇기로 마음먹는 첫날에.

어젯밤 안친 밥을 고봉으로 푸고, 남은 김치와 멸치볶음을 꺼내고, 엄마가 만들어주신 고등어조림을 데우고, 유통기한이 임박한 그릭요거트 하나를 꺼내니 단출한 아침상이 차려졌다.

부쩍 날이 풀린 아침 출근길에 자전거 페달을 부지런히 밟았다. 신호는 딱딱 맞고, 역에 도착하니 곧바로 도착하는 지하철을 보니 오늘은 좋은 일이 있을 것만 같다. 그래서 땀이 송골송골 맺혔지만, 아침부터 신나게 운동했다고 생각하니 상쾌한 월요일.(22.03.07)

흰쌀밥, 김치, 멸치볶음, 고등어무조림, 블루베리그릭요거트

#2 치킨카레밥과 양배추샐러드

매번 오랜만에 헬스장에 가는 일이 익숙해진 것 같지만, 자가격리 이후 처음 제대로 몸을 푸는 것 같아 자못 상쾌한 기분으로, 2주 묵은 재활용쓰레기를 갖다 버리고, 냉장고 유리판을 깨끗이 닦고, 냉장실 일부를 말끔하게 정리했다. 정리정돈이 주는 평화가 깃든 밤이 지나고, 일어난 잠자리를 반듯하게 정리하고 맞이하는 아침에.

냉동밥을 돌리고, 인스턴트 치킨카레를 끓는 물에 데우고, 양배추를 썰어 케첩과 마요네즈를 뿌리고, 남은 샤인머스캣 세 알과 그릭요거트 하나를 꺼내고, 아몬드우유를 따라냈다.

오늘도 헬스장 문 앞에 서는 것을 목표로 가방을 챙기고, 집에 돌아와 화장대를 정리하기로 마음먹으면서. 그렇게 작은 것부터 하나씩 하나씩 지켜가는 마음으로 한 발을 내딛는 출근길의 아침 공기가 신선하다.(22.03.08)

치킨카레밥, 양배추샐러드, 배추김치, 그릭요거트, 샤인머스캣, 아몬드우유

#3 볶음두부면과 생낫또

휴일인데 웬일로 일찍 눈이 뜨인 아침에. 투표도 해야 하고, 악기연습실 예약시간도 늦지 않으려고 분주해져도 아침은 챙겨

먹어야 하니.

처음 사 본 두부면에 갖은 야채와 버섯 그리고 연두를 넣어 기름에 볶고, 생낫또 하나를 간장에 비비고, 김치를 꺼내고, 천혜향 한 개와 그릭요거트와 아몬드우유를 상에 올려놓았다

정신없이 오전 시간이 지나고 한적한 식당에서 좋아하는 음식을 한 그릇 깨끗이 비워내고. 집에 돌아와 아침에 돌린 빨래를 널다 보니 창으로 따스하게 들어오는 햇살이 좋아 집안의 모든 창문을 활짝 열었다. 그리고 잠시 침대에 누워 낮잠 자도 괜찮은 한낮의 수요일.(22.03.09)

볶음두부면, 생낫또, 배추김치, 천혜향, 블루베리그릭요거트, 아몬드브리즈

#4 호두크림치즈빵과 딸기우유

암담한 마음으로 시작하는 아침. 어제 마신 술로 머리가 지끈거리고, 서둘러 나오며 아침을 챙겨 먹지 못한 채 지하철에 올라타서 꾸벅꾸벅 졸다가.

회사에 들어가기 전에 단팥빵과 호두크림치즈빵과 딸기우유를 사서 출근하고. 비닐을 벗겨내고 빵을 반으로 쪼개어 우걱우걱 먹는 오늘의 아침.

그럼에도 불구하고 아침 먹는 일은 손 놓지 않기로 마음먹고. 나는 나의 길을 뚜벅뚜벅 걸어가면서 주어진 하루를 성실하게 보내고, 소중한 사람들에게 정직한 마음으로 대하고, 눈앞의 순간을 따뜻하게 사랑하기로.(22.03.10)

팥빵, 호두크림치즈빵, 딸기우유

#5 한입떡갈비와 천혜향

어제는 퇴근하자마자 배드민턴 치러 갔고, 집으로 돌아오는 길에 왜 이리 힘이 없는지 곰곰 생각하다 저녁을 거른 사실을 깨달았다. 내일 아침을 잘 챙겨 먹으면 되니 씻고 일찍 잠자리에 들었다. 그렇게 유혹을 이겨내고, 아침에 일어나서는.

따뜻하게 데운 흰쌀밥을 그릇에 담고, 한입 떡갈비 7개를 굽고, 배추김치와 멸치볶음을 꺼내고, 고소한 김도 꺼내고, 천혜향 반개도 쪼개어 놓고, 아몬드우유까지 컵에 따른다.

역시 아침을 챙겨 먹는 날은 언제나 하루를 시작하는 마음이 산뜻하다. 더군다나 오늘 아침 출근길에는 귀여운 고양이 두 마리를 목격했고, 애플뮤직에서 랜덤 재생으로 정승환의 <다시, 봄>이 흘러나오는데 "다시, 봄"이라는 카페 간판이 눈에 들어왔

다. 재밌는 우연의 순간들이 오늘 하루, 나를 여행자의 마음으로
부풀게 한다. 두둥실.(22.03.11)

흰쌀밥, 한입떡갈비, 배추김치, 멸치볶음, 구운김, 천혜향, 아몬드브리즈

"
그럼에도 불구하고
아침 먹는 일은
손 놓지 않기로
마음먹고.

전호나물과 특제쌈장

작심한달이 두 달이 되고, 석 달이 되는 오늘

#1 전호나물과 특제쌈장

부쩍 따뜻해진 주말에는 조금 기운이 나서 옷장 정리를 끝냈고, 봄버재킷을 꺼내 입었고, 오가던 어떤 진심은 따뜻했고, 또 든든했다. 봄이 오니 몸도 마음도 한 발짝 내딛고, 한결 가벼웁게 시작하는 오늘도.

냉동밥을 전자레인지에 돌리고, 남은 짬뽕국물을 데우고, 엄마가 주신 들기름볶음김치를 꺼내고, 케일과 양배추 그리고 울릉도에서 온 봄나물인 전호나물을 꺼내고, 그것들을 찍어 먹을 엄마표 특제쌈장을 작은 그릇에 담고, 천혜향 반쪽을 한 알씩 쪼개고, 아몬드우유를 따르니 푸짐한 한상차림이 되었다.

작심한달이 두 달이 되고, 석 달이 되는 오늘 나는 기록서랍을 하나 더 장만하고야 말았다. 매일 30분씩 산책하고, 느릿느릿 걷고 보고 듣고 생각한 것들을 기록하는 "오늘의 산보". 아침밥 든든히 챙겨 먹고 느릿느릿 걸으며 봄의 기운을 맘껏 누리는 3월이 되었으면.(22.03.14)

흰쌀밥, 짬뽕국, 들기름볶음김치, 케일, 양배추, 전호나물,
특제쌈장, 천혜향, 아몬드브리즈

#2 치킨마요덮밥과 감자튀김

어제는 아침 일찍 눈이 뜨였고, 일찍 출근했고, 생각지 못한 상황에 허둥댔고, 눈코 뜰 새 없던 하루가 지났고, 종내 집에 오니 아무것도 하고 싶지 않아 일찍 자리에 누웠다. 의욕은 저만치 높은 곳에 있는데 내가 가진 체력은 딱 내 키만큼이었다. 오늘도 할 일은 많지만 어제보단 조금 더 여유를 부려보기로 마음먹기의 시작은.

남은 치킨 살을 발라내어 데운 흰쌀밥 위에 올리고 마요네즈를 뿌리고 김가루를 넣어 치킨마요덮밥을 만들고, 역시 남은 감자튀김을 데우고, 또 역시 남은 치킨무와 김치와 볶음김치를 꺼내고, 천혜향 반쪽을 한 알씩 떼어내고, 아몬드우유를 컵에 담았다.

자전거 타고 달리면 출근길의 찬 공기가 온몸에 스미고, 지하철에 서면 이마에 땀방울이 송골송골 맺히고. 그렇게 겨울에서 봄으로 가는 길 위에 있고. 나는 오늘도 내가 가진 만큼의 힘으로 뚜벅뚜벅 오늘을 걸어보기로.(22.03.15)

치킨마요덮밥, 감자튀김, 김치, 치킨무 천혜향, 아몬드브리즈

#3 1/2전주비빔밥과 참치통조림

격리 해제 이후로도 끊임없이 나를 괴롭히던 기침도 많이 줄고, 이틀 연달아 운동도 하는 이번 주는 제대로 건강모드. 집에 오면 씻고 대충 챙겨 먹고 바로 쓰러지고 말지만, 아침에 일어나는 일이 버겁지 않은 오늘도.

조금 남은 흰쌀밥과 전주비빔밥 주먹밥을 반반 담고, 참치통조림 하나 따고, 볶음김치를 꺼내고, 케일과 양배추와 전호나물을 그릇에 가득 눌러 담고, 역시 엄마표 특제쌈장도 덜고, 바나나 하나를 먹기 좋게 썰고, 아몬드우유를 유리컵에 따른다.

점점 밝아지는 출근길의 아침에는 하늘과 구름이 잘 보이고, 앙상한 나무의 가지 끝마다 망울이 맺혀 있고. 느릿느릿 걸으며 그것들을 찬찬히 보고 봄의 기운을 한껏 들이마시는 오늘은 벌써 수요일.(22.03.16)

흰쌀밥, 전주비빔밥주먹밥, 참치, 볶음김치, 케일, 양배추,
전호나물, 특제쌈장, 바나나, 아몬드브리즈

#4 비프카레우동과 블랙올리브

집정리 좀 해보겠다고 계획만 한가득 세워 놓고, 십 분의 일 끝내니 벌써 열두 시. 결국 어제의 내가 토스한 일을 고스란히 받은 오늘의 나는 내일의 나에게 그 일을 결단코 넘기지 않으리라 단단히 마음먹었으나, 종내 조금 늦게 일어난 아침에도.

우동면을 끓는 물에 삶아 건져내고, 면 위에 비프카레를 붓고, 참치와 올리브와 김치를 꺼내고, 블루베리 그릭요거트와 천혜향과 아몬드우유를 호다닥 준비하면 오늘의 아침밥 완성.

어제는 주문한 바지걸이가 도착했다. 집게 형태는 무거운 바지를 감당 못 하고, 옷걸이는 축축 늘어져 고민이었는데 바지걸이로 깔끔하게 정리 완료. 남은 십 분의 구를 한 번에 다 끝내겠다는 욕심 내려놓고, 어제의 성취감에 힘입어 오늘도 하나씩 하나씩 그렇게.(22.03.17)

비프카레우동, 블랙올리브, 배추김치, 참치통조림,
블루베리그릭요거트, 천혜향, 아몬드브리즈

#5 카레국밥과 쯔유국

　어제는 퇴근하고 집에 오자마자 밀린 집안일을 끝내 보고자 팔을 걷어붙였다. 아니, 다 못해도 괜찮으니 할 수 있는 만큼만 하기로 하고. 말라죽은 방울토마토를 눈물로 보내주고, 먼지 쌓인 바닥을 닦고 또 닦고, 여기저기 흩어진 책들을 책장으로 돌려보내고, 오랜만에 요리라는 걸 해보았다. 맛이 어떤지 테스트해 보는 오늘의 아침은.

　지난밤 안친 밥 위에 푹 끓인 카레를 붓고, 쯔유와 무로 우린 국물을 그릇에 담아내고, 볶음김치와 김치와 멸치볶음을 꺼내고, 천혜향 반쪽과 아몬드우유를 준비했다.

　맛은 나쁘지 않은데 생각보다 묽은 카레국이 되었고, 어찌해야 적당한 점도에 맛도 좋은 카레로 거듭날 수 있을지 고민하는 일이 출근길의 미션. 레토르트식품과 밀키트에 길들여진 나는 당근과 감자와 양파를 썰고, 고형카레를 물에 개는 일조차 복잡

하고 어렵기만 하다. 그럼에도 불구하고 지난한 과정을 통해서
만 우러나오는 진심이 있다고 믿는다. 다만 맛없으면 진심이 무
슨 소용, 막 이러고.(22.03.18)

홈메이드카레, 쯔유국, 볶음김치, 배추김치, 멸치볶음, 천혜향,
아몬드브리즈

"

작심한달이 두 달이 되고,
석 달이 되는 오늘
나는 기록서랍을 하나 더
장만하고야 말았다.

치즈계란말이와 바나나

오늘의 내가 반갑고 기특하다

#1 깻잎장아찌와 무말랭이

꿈같이 흘러간 주말을 뒤로하고 맞이하는 상쾌한 아침. 가뿐하게 일어나는 것, 기침 없이 편하게 호흡하는 것, 몸을 가볍게 움직이는 것. 어릴 적에는 당연하게 주어졌던 것들이 요즘 나의 아침을, 일상을, 마음을 좌우하고 있다는 사실을 깨닫는 요즘. 더없이 소중한 오늘의 순간을 살아가고 있음을 실감하며 감사한 마음으로 부지런히 움직이는 오늘 아침에도 나는.

흰쌀밥을 데우고, 주말에 끓이고 남아 냉동시킨 어묵국을 전자레인지에 돌리고, 엄마가 챙겨주신 멸치볶음과 무말랭이와 깻잎장아찌를 꺼내고, 천혜향 반쪽과 아몬드우유를 내면 오늘의 아침이 준비된다.

언제 이런 기분을 느껴보았나 싶을 정도로 가벼운 몸과 마음의 무게가 계속 이어지길 바라게 된다. 한편 꽤나 오랫동안 무기력한 시간들을 살아왔다는 사실을 깨닫는다. 지난 시간들이 후회되기보다는 다시금 한 걸음을 내딛을 수 있음이 감사한 오

늘의 내가 반갑고 기특하다.(22.03.21)

흰쌀밥, 어묵국, 멸치볶음, 무말랭이, 깻잎장아찌, 천혜향, 아몬드브리즈

#2 고등어구이와 브로콜리

어제는 두 번째 PT를 받았고, 사정없이 찢겼다. 너덜너덜해진 몸으로 집에 도착해서는 아침 먹을 것만 준비해놓고 잠들었다. 생각보다 가뿐하게 그리고 일찍 일어났어도 고등어 굽느라 결국 자전거로 사정없이 페달을 밟아야 했지만.

흰쌀밥을 데우고, 부침가루와 카레가루를 묻힌 고등어를 꽤나 오래도록 굽고, 깻잎장아찌와 무말랭이와 김치를 꺼내고, 남은 천혜향 반쪽을 한 알씩 쪼개고, 아몬드우유를 컵에 따랐다.

때마침 지하철도 딱 맞춰 와서 또 달려야 해서 생각지 못한 아침운동이 되고 말았다. 전보다 숨이 덜 가쁜 거 보면 뿌듯하지만, 이제 고작 2주 정도 운동해놓고 너무 김칫국 마시는 것 같고. 한두 사발 마시면 또 어떤가 싶고, 고래도 춤추게 하는 칭찬을 나에게 아낌없이 하기로 마음먹는 화요일의 출근길.(22.03.22)

흰쌀밥, 고등어구이, 브로콜리, 깻잎장아찌, 무말랭이,
배추김치, 천혜향, 아몬드브리즈

#3 치즈계란말이와 바나나

아침밥으로 시작한 2022년, 두 달을 채우고 얻은 용기로 산보와 운동에 도전한 3월의 기록도 차곡차곡 쌓여가고 있다. 너무 많은 것들을 하다 보면 금세 지치고 와르르 무너져 버릴까 두렵기도 하지만, 오늘도 한 걸음 한 걸음, 첫 마음으로 오늘의 아침밥을 준비하기로 마음먹고.

냉동밥을 전자레인지에 돌리고, 곱게 푼 계란물에 치즈를 넣고 돌돌 말은 계란말이를 만들고, 엄마가 준 갈비찜을 데우고, 멸치볶음과 무말랭이를 꺼내고, 바나나 하나를 손으로 뚝뚝 자르고, 새 아몬드우유를 따서 컵에 따른다.

내일이면, 3월이 지나면, 언제 그랬냐는 듯 아침밥 거르고, 점심에는 피곤에 못 이겨 엎드려 자는 게 일상이 되는 날이 다시 올지도 모른다. 그럼 또 어떤가 싶은 마음으로 지난 시간의 무게를 조금 덜어내 본다. 새 마음과 성취감과 용기가 고스란히 녹아든 기록이 나를 보여주고, 또 오늘도 내 등을 두드리며 그

저 오늘을 살라고 한다.(22.03.23)

흰쌀밥, 치즈계란말이, 멸치볶음, 무말랭이, 바나나, 아몬드브리즈

#4 계란후라이와 볶음김치

취기가 잔뜩 오른 지난밤, 어떻게 잠들었는지 몰라도, 조금 늦게 일어났어도 눈 뜨자마자 아침 먹어야 한다는 생각에 몸을 벌떡 일으켰다. 거나하게 취한 어제의 나는 자기 전에 내일 아침으로 뭘 먹을지 생각했던 게 기억났고, 그런 내가 조금 웃겼고, 기특했다. 제대로 늦장 부리는 오늘도 아침을 먹기 위해 냉장고를 열고.

냉동밥을 전자레인지에 돌리고, 계란 두 알을 깨뜨려 후라이를 만들고, 깻잎장아찌와 멸치볶음과 볶음김치를 꺼내고, 아몬드 우유를 컵에 담았다.

아무것도 먹고 싶지 않을 만큼 속이 좋지 않았지만, 아침밥을 꾹꾹 밀어 넣으니 안 먹은 것보단 나은 것도 같고. 첫 단추를 잘 잠근 오늘 하루의 시작이 나쁘지 않다. 아침밥 챙겨 먹길 참 잘했다는 생각과 더불어 술은 적당히 마시기로 의미 없는 다짐을 기어코 또 하고 마는 오늘의 나.(22.03.24)

흰쌀밥, 계란후라이, 깻잎장아찌, 멸치볶음, 볶음김치, 아몬드브리즈

#5 모찌식빵과 해시브라운

어제도 헬스장 문턱을 넘었다. 생각보다 열심히 하는 내가 신통방통한 요즘. 고작 2주 하고서는, 자전거 페달 밟는 힘이 좋아진 것도 같고, 팔도 조금 두꺼워진 것 같은 착각에 빠지고 말았다. 다이어트하고 싶은 마음은 없기도 하고(?), 오히려 식욕이 좋아져 저녁엔 치킨을 우적우적 먹었고, 오늘 아침도 거하게 차리는데.

냉동해 둔 식빵을 토스터기에 굽고, 프라이팬에 계란 한 알을 깨고, 해시브라운 세 개나 굽고, 어제 끓여둔 크림수프를 데우고, 레몬딜크림과 카야잼과 치즈와 케첩을 준비하고, 배불러서 먹지 않았지만 그릭요거트 하나도 꺼냈다.

벌써 금요일이 되었고, 든든히 아침 챙겨 먹고 밖을 나서는데 오늘의 출근길은 어제보다 한층 밝아졌다. 하늘과 길과 횡단보도와 신호등과 차와 사람들이 선명하게 보이고, 신나게 페달 밟는 오늘 나의 마음도 또렷하게 보이는 듯하다.(22.03.25)

모찌식빵, 크림수프, 해시브라운, 계란후라이,
레몬딜크림, 카야잼, 치즈, 아몬드브리즈, 그릭요거트

"

새 마음과 성취감과 용기가

고스란히 녹아든 기록이

나를 보여주고,

또 오늘도

내 등을 두드리며

그저 오늘을 살라고 한다.

토마토달걀볶음과 깻잎장아찌

일상에서 그 어떤 것도 당연한 건 없다고

#1 감자치아바타와 아몬드우유

2일 3산으로 체력의 최대치를 쓰고 장렬히 쓰러진 나는 주말의 순간들이 그저 꿈만 같고. 못 일어날까 걱정했지만, 다행히 눈이 뜨였고, 생각보다 몸도 가뿐해서 다행인 마음으로 오랜만에 아침을 먹기 위해 냉장고를 열었으나 저장해둔 냉동밥이 없어서.

냉동해 둔 모찌식빵 한 조각과 감자치아바타 세 조각을 토스터기에 넣고, 계란후라이 한 알을 깨고, 애플버터잼과 마늘버터잼과 카야잼을 꺼내고, 블루베리 그릭요거트와 아몬드우유도 준비했다.

지난 주말, 지갑을 잃어버린 나는 오랜만에 일회용 교통카드를 샀고, 거스름돈으로 50원짜리 동전을 받았고, 정지한 카드들이 재발급이 되길 기다려야 하고, 주민등록증과 운전면허증 재발급하는 방법을 찾아 신속하게 신청해야 한다. 월요일에 당도했다는 사실이 매우 실감나는 오늘의 출근길, 나는 아직도 여행길 위에 있는 기분이다. 어떤 일이 일어날지 알 수 없지만, 무슨 일이 있어도 툭툭 털고 여전히 설레는 마음으로 충만한 여행자이고 싶다.(22.03.28)

모찌식빵, 감자치아바타, 계란후라이, 마늘버터,
애플버터잼, 블루베리그릭요거트, 아몬드브리즈

#2 김치만두와 고기만두

요즘 무슨 바람이 불었길래 굉장히 활동적인 사람이 되어버렸다. 등산을 위한 기초체력을 다지고자 시작한 운동들이 점점 일상으로 자리 잡고 있다. 봄이 지나고 여름이 와도 계속되었으면 하는 욕심이 생긴다. 겨울에서 봄이 되어도 차곡차곡 쌓여가는 오늘의 아침밥은.

어젯밤 안친 밥을 푸고, 고기만두와 김치만두를 전자레인지에 돌리고, 볶음김치와 깻잎장아찌와 멸치볶음과 구운 김을 꺼내고, 작은 그릇에 간장을 조금 따르고, 아몬드우유도 컵에 담았다.

아직 찬 기운이 감도는 아침 출근길에 자전거를 타고 지하철역으로 향한다. 등에 맨 가방에는 배드민턴화와 손목밴드와 스포츠양말이 들어있고, 한 손에는 배드민턴 라켓이 든 케이스를 잡고 있다. 내게 찾아온 서른다섯 번째 봄이 지나면 다시 오지 않고, 내일이면 기억이 되고 추억이 될 오늘의 시간도 마찬가지일 테니까. 그러니 소중한 오늘의 순간을 살아낼 테다!(22.03.29)

흰쌀밥, 김치만두, 고기만두, 볶음김치, 멸치볶음, 김,
깻잎장아찌, 버섯간장, 아몬드브리즈

#3 간장계란밥과 참치통조림

쏜살같이 지나간 3월의 끝이 보이는 오늘, 한 달간 나는 무얼 했나 떠올려보면 막상 머리가 하얘지지만. 차곡차곡 쌓인 기록들이 그날 그 시간 그 순간에 나는 무엇을 하고 있었고 무슨 생각을 했는지 정확하게 보여주고, 미처 적지 못한 순간까지도 떠오르게 해 준다. '핫팩', '위로', '카레', '봄꽃', '산보', '헬스', '배드민턴', '2일3산'. 그리고 '아침밥'.

보온해둔 흰쌀밥을 푸고, 그 위에 간장과 참기름을 뿌리고, 계란후라이 하나를 올리고, 참치통조림을 하나 따고, 깻잎장아찌와 볶음김치와 멸치볶음을 꺼내고, 아몬드우유를 컵에 담았다.

4월에는 어떤 키워드가 내 기억에 남을까 궁금해진다. 조금은 무리할 정도로 기록을 많이 남겼던 3월의 시간은 분명 기록한 만큼 확실한 추억으로 남을 거라 믿는다. 3월의 만남과 열정과 성실과 감사와 믿음과 행복이 4월에도 이어지길 바라는 마음으로 나는 오늘도 자전거 페달을 힘차게 밟는다.(22.03.30)

간장계란밥, 참치통조림, 볶음김치, 깻잎장아찌, 멸치볶음, 아몬드브리즈

#4 한입김치전과 볶음김치

어제는 오후 반차를 쓰고 일찍 나왔다. 분실한 신분증들을 재발급 받았고, 역시 잃어버린 카드를 배송 받았다. 매번 일회용 교통카드를 사는 일도, 보증금 환급 때마다 늘어나는 동전 때문에 걸을 때마다 짤랑거리던 소리도 사라졌다. 하루아침에 사라진 지갑은 일상을 꽤나 불편하게 만들었고, 그래서인지 내게 주어지는 일상은 거저 오는 것이 아님. 결코 당연하지 않은 오늘의 아침밥을 먹기 위해.

냉동밥을 전자레인지에 돌리고, 한입김치전을 기름에 굽고, 볶음 김치와 멸치볶음과 깻잎장아찌를 꺼내고, 아몬드우유를 컵에 따랐다.

침대에서 일어나고, 밥을 먹고, 출근길 지하철을 타고, 아침밥 기록을 올리고, 카톡으로 안부를 묻고, 회사에 도착하고, 업무를 하고, 점심을 먹고, 산보를 가고, 퇴근하고, 카페에 들르고, 운동을 하고, 연극을 보고, 교통카드를 찍고. 좋아하는 음료를 마시고, 좋아하는 마음을 표현하고, 좋아하는 순간을 누리는 일상에서 그 어떤 것도 당연한 건 없다고.(22.03.31)

흰쌀밥, 한입김치전, 볶음김치, 멸치볶음, 깻잎장아찌, 아몬드브리즈

#5 토마토달걀볶음과 깻잎장아찌

　3월 마지막 날에도 헬스장 문턱을 넘었고, 4월 첫날에도 ´+´ 버튼을 누르고 아침밥 기록을 남기고 있다. 오늘은 거짓말처럼 지나간 세 달의 기록을 처음부터 찬찬히 돌아보려고 한다. 거짓말이 아닌 실제로 아침밥을 차리고 사진을 찍고 끄적끄적 자판을 두드리고 기록을 남겼다는 사실을 눈으로 확신하고자. 작심 세달을 마치고, 새 마음으로 일어나는 오늘 아침에.

　냉동밥을 데우고, 스크램블한 달걀에 토마토소스와 케첩을 넣어 토마토달걀볶음을 만들고, 멸치볶음과 깻잎장아찌를 꺼내고, 아몬드우유를 내놓았다.

　오늘의 지하철은 자리가 넉넉하다. 기분 좋게 자리에 앉아서 오늘도 자판을 신나게 두드린다. 역과 역 사이를 지날 때마다 들리는 소음과 에어팟에서 흐르는 노랫소리가 섞이는데 꽤나 잘 어울린다. 괜스레 들떠서 사월에 만나게 될 설레는 순간들을 기대해본다. 여전한 마음으로 차곡차곡 서랍에 쌓이기를 바라며.(22.04.01)

흰쌀밥, 토마토달걀볶음, 멸치볶음, 깻잎장아찌, 아몬드브리즈

"

4월에는
어떤 키워드가
내 기억에 남을까
궁금해진다.

곤드레밥과 훈제오리

향긋한 봄으로 배를 채운 오늘의 아침밥

#1 곤드레밥과 훈제오리

　핸드폰을 잃어버릴 뻔했고, 생각보다 많이 취했고, 아주 오랜만에 반가운 만남이 있던 주말의 시간이 지나고 다시 찾아온 월요일 아침. 본격적으로 시작된 사월에는 두 번의 출장과 두 번의 여행이 계획되어 있다. 바쁜 일정 속에서 금세 지나갈 순간들을 사월에도 변치 않는 마음으로 기록하기로 마음먹는 오늘의 아침은.

　곤드레밥을 전자레인지에 돌리고, 엄마가 싸주신 미나리김치와 마늘쫑장아찌와 달래를 꺼내고, 훈제오리를 데우고, 머스터드 대신 스리라챠소스를 작은 그릇에 담고, 방울토마토 다섯 알과 그릭요거트 하나를 꺼냈다.

　지난 주말의 시장에서 보았던 봄나물을 아침밥상에서 만나니 더욱 반가운 계절이다. 출근길은 여전히 찬 기운이 감돌지만 코트는 조금 더워 땀이 조금 나고, 낮이 되면 완연한 봄기운이 느껴지겠지. 사월에도 변치 않는 마음으로 순간을 사랑하고 살아내기로 마음먹는 오늘의 출근길에서.(22.04.04)

곤드레밥, 미나리김치, 마늘쫑장아찌, 훈제오리, 달래,
방울토마토, 그릭요거트

#2 달래비빔밥과 도토리묵

출장의 날이 밝았다. 오랜만에 가는 출장이라 조금 긴장도 되는
지 짐 챙기고 집정리 하다 보니 시간이 빠르게 지나고 벌써 열두
시. 출장 가는 동안에는 아침을 사 먹어야 하지만, 그래도 꼬박꼬박
기록을 남기기로 마음먹고. 출발하기 전 오늘도 아침을 먹기 위해.

냉동밥을 데우고, 그 위에 달래와 간장과 참기름을 넣고, 참깨
를 뿌리고, 멸치볶음과 마늘쫑과 미나리김치와 도토리묵을 꺼내
고, 방울토마토 다섯 알을 씻어내고, 블루베리그릭요거트 하나를
꺼냈다.

달래장 만들어 밥 비벼 먹으라는 엄마의 말씀에 따라 만들고
한술 뜨니 향긋한 봄으로 배를 채운 오늘의 아침밥. 출장으로
일상의 패턴이 조금 바뀌어도 아침밥도 꼬박꼬박 챙겨 먹고, 남
쪽에서 만날 만개한 벚꽃과 함께 산보도 잊지 않기로 마음먹는
오늘의 출장길.(22.04.05)

흰쌀밥, 달래장, 도토리묵, 멸치볶음, 마늘쫑,
미나리김치, 방울토마토, 블루베리그릭요거트

#3 은복국지리와 출장

출장 둘째 날의 아침이 밝았다. 아침을 차려 먹을 순 없지만, 사 먹는 아침도 기록으로 남기기 위해 먹기 전 찰칵. 오늘의 아침은 시원한 복국지리.

맑은 국물에 콩나물과 무와 미나리가 듬뿍 들어 있고, 통통하게 오른 복엇살이 여러 조각 들어 있는 은복국지리. 식초를 국물에 슬슬 둘러주고, 콩나물과 미나리를 초장에 비비고, 말간 국물에 밥 한 공기를 말아서 든든하게 배를 채웠다.

하늘은 구름 한 점 없이 맑고, 차창 밖으로 거리마다 벚꽃이 하얗게 피어있는 모습을 즐겁게 구경하는 오늘의 출근길.(22.04.06)

은복국지리

#4 출장과 설렁탕

출장 마지막 날 아침이 밝았다. 긴장했던 시간들이 지나고 오전이면 마무리되는 오늘의 출장업무라 마음이 한결 가벼워졌다. 오늘 아침은 근처 설렁탕집으로 정했다. 메뉴는 설렁탕으로 통일하고.

팔팔 끓여 나온 설렁탕 한 뚝배기와 공깃밥 한 그릇이 나왔고, 무김치와 배추김치와 마늘장아찌가 나왔다. 오늘은 사진 찍는 걸 깜박해서 여기 설렁탕집에서 다른 사람이 찍은 비슷한 사진을 찾았다.

잘 먹고 잘 쉬면서 지냈지만, 그래도 오랜만의 출장이라 낯설고 피곤했는지 입술 오른쪽 부분이 구쿨었다. 회사에 있는 아시클로버 연고를 발라야겠다고 생각하다가 서울에는 벚꽃이 얼마나 피었을까 문득 궁금한 목요일의 부산에서.(22.04.07)

설렁탕, 무김치, 배추김치, 마늘장아찌

#5 곤드레밥과 방울토마토

출장 때문에 이번 주가 금세 지나가고 벌써 금요일 다시 집에서 아침밥을 차려먹는 일상으로 돌아왔다는 안도감에 몸도 마음도 편안한 오늘 아침.

곤드레밥을 데우고, 밥 위에 간장과 참기름을 넣고, 김과 멸치볶음과 마늘쫑과 민들레김치를 꺼내고, 남은 방울토마토 여섯 알

씻어놓고, 블루베리그릭요거트를 작은 숟가락과 함께 준비했다.

한 달이 순식간에 지나고, 오늘이 벌써 리추얼 모임의 마지막 기록의 날이다. 이번 달도 빠짐없이 기록으로 채울 수 있었던 건 역시 히웅 탐험대원들의 열심과 응원 덕분이다. 그리고 매번 같은 주제로 집요하게 올려도 매번 공감해 주고 응원해 주는 고마운 마음 덕분에 즐겁게 기록할 수 있었다. 작심석달의 기록은 여기서 끝내지 않고, 할 수 있는 만큼 계속해서 기록을 이어가려고 한다. 더불어 계속해서 당신의 기록에 공감하고 응원을 보태고 싶다.(22.04.08)

곤드레밥, 마늘쫑, 멸치볶음, 민들레김치, 구운김,
방울토마토, 블루베리그릭요거트

"

더불어

계속해서

당신의 기록에

공감하고

응원을 보태고 싶다.

달래비빔밥과 마늘쫑

더욱 선명하게 기억될 봄의 시간, 오늘도 즐겁게!

#1 숙주나물무침과 부지갱이나물무침

하얗게 불태운 주말이 지나고 어김없이 찾아온 월요일 아침. 십분 단위로 알람이 울리지만 하나씩 끄고 십 분만 더 자기로 하면, 십분 뒤에 어김없이 울리고. 피곤 한가득 짊어진 채 일어나 오늘도 포기할 수 없는 아침을 먹기 위해 냉장고를 열어보는데.

냉동 곤드레밥을 전자레인지에 돌리고, 엄마가 싸 준 연근조림과 숙주나물무침과 부지갱이나물무침을 꺼내고, 냉장 훈제오리를 데우고, 아몬드우유를 컵에 따랐다.

지난밤 꽤나 먼 거리를 천천히 걸었고, 시원한 맥주를 파이렉스 계량컵 큰 잔으로 두 컵을 들이켰고, 제시간에 차 타려고 택시로 빠르게 달렸고, 빨간 버스 타고 깜박 졸았고, 일어나 내린 곳이 집까지 꽤 멀어 또 한참을 걸었다. 월요일로 넘어온 새벽 길을 걷는 동안 꽤 많은 사람이 있었고, 조용히 피어있는 많은 벚나무를 보았다. 어김없이 아침이 왔고, 멋진 벚꽃길이 출근길이 되었고, 정장 재킷만 가볍게 걸친 나는 오늘도 지하철에서

아침밥 기록을 남긴다.(22.04.11)

곤드밥 훈제오리 연근조림 숙주나물무침 부지깽이나물무침 아몬드우유

#2 부대찌개와 연근조림

　어제 일찍 잤는데도 주말의 피로가 깨끗이 씻겨나가지 않은 채 맞이하는 아침. 찌뿌둥한 몸으로 힘겹게 일어나고. 무거운 몸을 옮겨 오늘도 냉장고를 열고.

　지난밤 안친 흰쌀밥을 푸고, 어제 한 솥 끓여둔 부대찌개를 그릇에 담고, 숙주나물무침과 부지깽이나물무침과 연근조림과 갓김치를 꺼내고, 아몬드우유를 따라내면 오늘의 아침밥 준비 완료.

　밖으로 나오니 간밤에 내린 비에 자전거 안장이 축축하게 젖어 있었다. 어제만 해도 화려하게 피어있던 벚꽃도 한풀 꺾인 듯 보였고, 지난 주말의 시간이 갑자기 아득하게 느껴졌다. 여름에 한층 가까워지는 봄의 모습은 어떨지 생각하다가 재킷마저 더운 아침의 출근길에 오늘 밤에는 선풍기를 꺼내야 하나 싶고.(22.04.12)

흰쌀밥, 부대찌개, 숙주나물무침, 부지갱이나물무침,
연근조림, 갓김치, 아몬드브리즈

#3 쇠고기수프와 양배추샐러드

피로감이 생각보다 오래가는 이번 주는 침대에서 일어나는 일이
왜 이리 힘든지. 아무것도 하지 않기에는 해야 할 일이 너무 많다.
PT 받은 것 복습하려면 헬스장에 다녀와야 하고, 아직 개지 않은
빨랫감이 보이고, 한가득 쌓인 설거지거리가 눈에 밟히고 만다. 씻
고 누우면 금세 열 시를 넘기고, 눈 감으면 금세 잠에 빠져든다.
그렇게 맞이하는 아침에 힘겹게 일어나 오늘도 주방으로 가서.

냉동밥을 전자레인지에 돌리고, 냉동시켜 둔 쇠고기수프를 데우고,
갓김치와 연근조림과 부지갱이나물무침과 숙주나물무침을 꺼내고, 지난
밤 썰어 둔 양배추 위에 키위드레싱을 올리면 오늘의 아침이 완성된다.

밖을 나서니 간밤에 내린 비로 길바닥에는 벚꽃잎이 별처럼 촘촘히
박혀 있었다. 기다린 시간에 비해 짧게 머물고 지나가는 벚꽃이 못내
아쉽지만, 흔적으로 남은 꽃길로 출근하며 또 새롭게 피어날 봄꽃과
봄의 순간들을 찾아보며 아직 한창인 봄을 만끽하기로. (22.04.13)

흰쌀밥, 쇠고기수프, 연근조림, 갓김치,
부지갱이나물무침, 숙주나물무침, 양배추샐러드, 사과즙

#4 달래비빔밥과 마늘쫑

　지난밤 신나게 마셔댄 통에 머리가 지끈지끈한 아침. 요즘 들어 업무량이 늘고 긴장 타는 일이 많아져서 그런지 이렇게 술을 마시는 날이면 더 신나게 마시게 된다. 우산을 들고 오지 않은 날에 비는 오지 않았고, 생각보다는 춥지 않았고, 무사히 집에 도착해서 씻고 잠에 든 나는 오늘 아침에도 힘겹게 일어나서.

　냉동밥을 데우고, 조금 남은 달래를 잘라 밥 위에 올리고, 간장과 참기름을 넣고, 계란까지 올리면 달래비빔밥이 되고, 마늘쫑과 갓김치와 연근조림을 꺼내고, 아몬드우유와 블루베리그릭요거트를 내놓으면 오늘의 아침밥 준비 끝.

　길 위에는 분홍빛 벚꽃잎이 어제보다 더 많이 떨어져 있었고, 벚꽃나무도 조금씩 말라가고 그 틈을 초록잎들이 메워가고 있었다. 문득 작년 사월은 어땠는지 생각해보지만 잘 기억나질 않는다. 올해만큼 오랫동안 벚꽃을 손꼽아 기다리고, 자세히 들여다보고, 열심히 사진을 남긴 적은 없는 것 같다. 더욱 선명하게 기

억될 봄의 시간, 오늘도 즐겁게!(22.04.14)

달래비빔밥, 마늘쫑, 갓김치, 연근조림, 아몬드브리즈,
블루베리그릭요거트

#5 고구마베이글과 키위에이드

　"부모님과 여행 가기"가 새해 빙고의 한 칸이었던 목표를 실
행하기 위한 첫날. 어제 부지런히 짐 싸고, 일찍 잠들어서인지
알람 소리에 번쩍 눈이 뜨였다. 여전히 피곤한 몸이지만, 이른
비행기 시간과 두 분을 모시고 가야 한다는 책임감에 정신을 단
디 챙기고. 아무리 일러도 아침은 먹고 나가야 하기에.

　고구마 소가 들은 베이글을 토스터기에 구웠으나 오버쿡으로
겉면이 좀 타고, 양배추에 마요네즈를 뿌려 양배추샐러드를 만
들고, 유리컵에 키위청과 탄산수를 섞어 키위에이드를 준비하고,
그릭요거트 하나를 꺼내면 오늘의 아침 준비 끝.

　아침식사를 마치고 호다닥 준비해서 본가로 달려가고. 역시나
아침식사를 일찍 마치신 부모님을 모시고 지하철역으로 가는데,
저 멀리서 보랏빛 꽃이 인사를 건넸다. 가까이 가서 보니 라일락
이 이제 막 피기 시작하고 있었고, 마스크를 꼈어도 진한 꽃향기

가 코로 스며들었다. 벚꽃이 가고 어느새 찾아온 라일락의 반가운 소식이 여행의 시작을 더욱 설레게 하는 오늘 아침.(22.04.15)

고구마베이글, 콘버터잼, 양배추샐러드, 키위에이드, 그릭요거트

"

벚꽃이 가고

어느새 찾아온

라일락의 반가운 소식이

여행의 시작을

더욱 설레게 하는

오늘 아침.

마라도와 선지해장국

기억에 남는 시간이 있어 뿌듯한 제주의 시간

#1 마라도와 선지해장국

둘째 날을 맞은 제주의 아침. 쉼 없이 달리던 어제의 일정을 무사히 마치고, 오늘은 마라도행 배를 타기 위해 일찍 일어나서 아침 먹으러 식당으로.

선지를 그리 좋아하지는 않지만, 근처에 맛있는 해장국집이 일찍 문 연다는 걸 알고 찾아간 맛집. 선지의 식감은 여전히 낯설지만, 국물이 시원하고 좋아서 한 뚝배기를 뚝딱 비워냈다.

오랜만에 부모님 모시고 다니는 날에 매우 느린 아버지의 걸음과 마음처럼 몸을 움직일 수 없는 한계를 깊이 실감하는 여행. 남은 기간 동안 느릿느릿 함께 걷고 제주의 푸른 풍경들을 함께 보고 또 이야기도 많이 주고받기로.(22.04.16)

흑미밥, 선지해장국, 밑반찬

#2 리조트 조식과 제주도

2박 3일의 시간이 지나고 맞이하는 마지막 날 제주의 아침. 일찍 자고 일찍 일어나 상쾌한 기분으로 밖으로 나와. 흐린 하늘이라 일출의 장관은 보지 못했지만 한적한 길을 걸으며 푸른 바다와 파도소리를 들을 수 있던 평온한 아침의 시간도 지나고.

이른 비행기라 리조트에서 조식으로 먹는 오늘의 아침밥. 이것저것 담아왔지만 욕심내지 않고 한 접시만 비우고, 과일과 빵으로 마무리하고.

밥을 호다닥 먹고, 안전하고 신속하게 공항으로 달려가니 안전하게 세이프. 차 타고 가면서 기억에 남는 시간을 부모님께 여쭤보니 엄마는 한적한 아침 산책을, 아빠는 친구와의 술 한 잔을 이야기했다. 내게는 두 분에게 기억에 남는 시간이 있어 뿌듯한 제주의 시간.(22.04.17)

삶은 달걀, 볶음밥, 고구마샐러드, 감자샐러드, 소시지,
크림파스타, 수프, 방울토마토 등

금호제주리조트

"

남은 기간 동안

느릿느릿 함께 걷고

제주의 푸른 풍경들을 함께 보고

또

이야기도 많이 주고받기로.

계란순두부국과 숭늉

다가올 여름의 순간들을 기대하면서

#1 곤드레밥과 비엔나소시지

오늘따라 눈이 일찍 뜨였다. 여독이 남아 있을 텐데도 가뿐하게 일어났다. 지난 주말 이곳저곳 열심히도 돌아다녀서 그런지 집이 낯설다. 아직 정리하지 않은 짐들이 덩그러니 놓여 있고, 헛헛한 내 마음도 바닥 위를 둥둥 떠다니는 기분이 든다. 일찍 일어나서 좀 더 여유롭게 냉장고 문을 열고.

냉동곤드레밥을 전자레인지에 돌리고, 양배추를 작게 잘라 그 위에 마요네즈를 뿌리고, 민들레김치와 갓김치를 꺼내고, 비엔나소시지 여섯 알을 데우고, ABC주스 두 팩을 유리컵에 따르고, 그릭요거트 한 개를 준비했다.

새로운 달의 기록모임이 시작되었고, 작심 4월에 돌입했다. 그동안 해오던 아침밥과 산보의 기록을 계속해서 이어가려 한다. 꾸준히 무엇을 한다는 것, 변치 않는 마음을 이어간다는 건 처음 마음을 잊지 않고 계속해서 기억하는 일이라는 생각이 든다. 서두르지 않고, 나는 나의 길을 우직하게 가겠다.(22.04.18)

곤드레밥, 양배추샐러드, 비엔나소시지, 갓김치,
민들레김치, 그릭요거트, ABC주스

#2 곤드레밥과 한입떡갈비

어제 일찍 잤는데도 침대에서 일어나는 게 힘겨운 아침. 아무래도 한동안 운동을 하지 않아서일까. 이런저런 핑계만 늘어나는 요즘. 오늘은 조금이라도 운동하기로 마음먹고는 주방으로 들어가서.

냉동곤드레밥을 전자레인지에 돌리고, 한입떡갈비를 데우고, 양배추를 작게 잘라 그 위에 마요네즈를 뿌리고, 파김치를 꺼내고, 그릭요거트와 아몬드우유를 준비했다.

선선한 바람이 불지만, 목과 등 뒤로 땀이 송골송골 맺히는 아침 출근길. 여름이 성큼 다가오는 게 느껴지고, 오늘은 어떻게든 정말로 운동하기로 마음먹고는 지하철에 오르고.(22.04.19)

곤드레밥, 양배추샐러드, 한입떡갈비, 파김치, 아몬드브리즈, 그릭요거트

#3 오징어삼겹볶음밥과 양배추샐러드

또다시 출장의 아침이 밝았다. 일찍 자서 그런지 일찍 눈이 뜨였고, 지난밤 준비를 다 마친 덕에 한결 여유로웠다. 3일간 낯선 곳에서 어떤 일들이 펼쳐질지 알 수 없지만, 아침 잘 챙겨 먹고 묵묵히 내 할 일을 해야지 생각하며 오늘도 냉장고 문을 열고.

냉동 오징어삼겹볶음밥을 전자레인지에 돌리고, 양배추를 작게 썰어 그 위에 마요네즈를 뿌리고, 한입떡갈비를 데우고, 파김치를 꺼내고, 아몬드우유를 컵에 따르고, 그릭요거트 하나를 준비했다.

어제는 베란다 문을 열고 잤고, 아침 출근길도 역시 조금 덥게 느껴졌다. 남쪽으로 가면 더 더울 것 같아 조금 걱정되지만, 먼저 온 봄을 만났던 것처럼 여름도 미리 만나고 온다고 생각하기로. 다가올 여름의 순간들을 기대하면서.(22.04.20)

오징어삼겹볶음밥, 양배추샐러드, 한입떡갈비, 파김치,
아몬드브리즈, 그릭요거트

#4 김칫국과 계란후라이

출장 둘째 날이 밝았다. 일출을 보기 위해 일찍 자고 일찍 일어났으나 종내 해는 구름에 가려져 보지 못하고. 저 멀리 붉은 점을 응시하며 쉼 없이 들려오는 파도소리에 가만히 귀를 기울이며. 상쾌한 기분으로 출근 준비를 마치고 식당으로.

　현장 직원들이 자주 간다는 식당이었고, 아침 백반 한 상이 나왔다. 여러 가지 반찬과 된장찌개와 김칫국이 나오고, 동그란 계란후라이 서비스까지.

　든든히 먹고 시작하는 오늘의 출근길은 바다를 끼고 달리는 차 안. 바다 위 배들이 유유히 떠다니는 것을 보다가 아침에 듣던 파도소리를 가만히 귀 기울여 보는 목요일 아침.(22.04.21)

흰쌀밥, 김칫국, 된장찌개, 계란후라이, 파김치, 각종 밑반찬

#5 계란순두붓국과 숭늉

　일찍이 둥근 해를 보고 식당에서 둥근 그릇들을 마주하니 더욱 반가운 오늘의 아침밥. 어제 대부분의 업무를 마쳐서 오늘 아침에는 가볍게 회의만 마치고 올라가는 일정이라 홀가분한 기분으로.

　계란순두붓국과 된장찌개와 계란후라이와 소불고기와 여러 가지 반찬들 그리고 숭늉까지 나오고.

든든히 먹고 오늘의 출장 무사히 마치고 다시 서울로!(22.04.22)

흰쌀밥, 계란순두붓국, 된장찌개, 계란후라이, 미역무침,
어묵볶음, 숭늉, 각종 밑반찬

"

일찍이 둥근 해를 보고

식당에서 둥근 그릇들을 마주하니

더욱 반가운

오늘의 아침밥

낙지볶음밥과 마라샹궈

시나브로 봄에서 여름으로 가는 출근길 위에서

#1 낙지볶음밥과 마라샹궈

　베란다 문을 열면 오히려 따뜻한 공기가 느껴지는 아침. 월요일이 오면 출근하는 일이 다시 어색해진다. 아침을 챙겨 먹는 것조차 낯선 기분으로 주방으로 가서.

　냉동낙지볶음밥을 전자레인지에 돌리고, 양배추를 작게 썰어 그 위에 케첩과 마요네즈를 뿌리고, 어제 배달시켜 먹고 남은 마라샹궈를 데우고, 파김치를 꺼내고, 방울토마토 다섯 알을 씻어내고, 아몬드우유를 컵에 담았다.

　역시 재킷 입기 더운 날씨인 오늘은 하늘이 잔뜩 흐리다. 시리(Siri)에게 오늘 비가 오는지 물으니 밤부터 다음날 아침까지 비가 내린단다. 혹시 몰라 우산을 챙겨 들고 나선 아침의 출근길.(22.04.25)

낙지볶음밥, 양배추샐러드, 마라샹궈, 파김치, 방울토마토, 아몬드브리즈

#2 차돌깍두기볶음밥과 미역국

요즘 들어 일찍 잠에 들곤 하니 일찍 일어나는 일이 버겁지 않다. 창문 열고 자도 더 이상 춥지 않고, 해도 일찍 뜨는 요즘, 봄에서 여름으로 가는 계절을 실감하는 아침에 오늘도 나는.

냉동차돌깍두기볶음밥을 전자레인지에 돌리고, 한입떡갈비를 데우고, 간편미역국 블록에 뜨거운 물을 붓고, 구운 김과 파김치를 꺼내고, 방울토마토와 아몬드우유를 준비했다.

시리(Siri)에게 오늘 비 오는지 물으니 비올 확률 0%라는 대답에 우산 없이 밖을 나서고. 후덥지근한 공기를 들이마시고, 벌써 목 뒤로 땀이 나기 시작하고, 마스크가 갑갑해지는 아침. 초록잎으로 무성한 나무들이 많이 보이고, 길가 낮은 화단에는 색색의 진달래가 피어 있고. 시나브로 봄에서 여름으로 가는 출근길 위에서.(22.04.26)

차돌깍두기볶음밥, 미역국, 구운김, 한입떡갈비, 파김치,
방울토마토, 아몬드브리즈

#3 곤드레밥과 함박스테이크

행복한 저녁의 시간이 꿈처럼 지나고 또 새로이 맞이하는 아

침. 어제는 술도 마셨고, 조금 늦게 잤는데도 몸이 가벼워 시작이 좋은 아침. 여느 아침처럼 또바기 주방으로 가서.

냉동곤드레밥을 전자레인지에 돌리고, 간편미역국 블록에 뜨거운 물을 붓고, 구운 김과 파김치를 꺼내고, 냉동함박스테이크 하나를 데우고, 그 위에 데미그라스소스를 얹고, 바나나를 먹기 좋게 자르고, 아몬드우유를 컵에 따르면 오늘의 아침밥 완성.

오늘도 시리는 비 올 확률이 0%라 알려주고, 하늘은 푸르고, 산책로 입구에는 못 보던 꽃들이 예쁘게 피어 있고, 다리 너머로 보이는 개천의 풍경이 매우 아름다운 출근길을 천천히 걸으며.(22.04.27)

곤드레밥, 미역국, 구운김, 함박스테이크, 파김치, 바나나, 아몬드브리즈

#4 가자미조림과 비엔나소시지

어제는 오랜만에 피티를 받았고, 오랜만에 느끼는 근육통에 왠지 기분 좋은 아침. 스트레칭을 하며 몸을 조금 풀고는 오늘도 주방으로 가서.

냉동곤드레밥을 전자레인지에 돌리고. 엄마표 가자미조림을 한소끔 끓이고, 비엔나소시지를 데우고, 파김치를 꺼내고, 방울토마토 다섯 알을 씻어내고, 두유 한 팩과 그릭요거트를 꺼내놓으면 오늘의 아침 준비 끝.

어제보단 기온이 조금 내려갔지만 여전히 더울 것 같아 드디어 재킷을 입지 않은 채 밖으로 나왔다. 가벼운 복장으로 나온 터라 몸도 마음도 가벼운 출근길.(22.04.28)

곤드레밥, 가자미조림, 비엔나소시지, 파김치,
방울토마토, 호두아몬드두유, 블루베리그릭요거트

#5 곤드레밥과 간장찜닭

어제는 신나게 라켓을 휘둘렀더니 또 온몸이 뻐근하지만 한 시간 더 잘 수 있어 상쾌한 아침. 비가 추적추적 내리는 모습을 창 너머로 보는 순간이 좋은 아침. 지난밤에 컵라면을 두 개나 끓여 먹었지만, 어김없이 배가 고픈 아침에 냉장고 문을 열고.

냉동 곤드레밥을 전자레인지에 돌리고, 엄마가 주신 찜닭 냉동시킨 걸 해동해서 냄비에 넣어 푹 끓여내고, 파김치를 꺼내고, 방울토마토와 아몬드우유를 준비했다.

일찍 일어나 천천히 오늘의 일정을 시작하는 아침. 아침 먹은 설거지를 곧바로 하고, 빨래를 돌리고, 영양제를 챙겨 먹고, 짐

을 챙기는 아침. 오랜만에 캡슐커피 한 잔 내려 비 오는 풍경을
가만히 내려다보면 좋겠다고 생각하는 휴가자의 아침.(22.04.29)

곤드레밥, 간장찜닭, 파김치, 방울토마토, 아몬드브리즈

"

어제는 술도 마셨고,

조금 늦게 잤는데도

몸이 가벼워

시작이 좋은 아침.

여느 아침처럼

또바기

주방으로 가서.

소 고 기 뭇 국 과 체 리

아침밥을 건너뛰고 말았다

#1 보리쌀밥과 마라샹궈

　먼 길을 운전하느라 지친 몸으로 밀린 집안일을 끝내고야 잠에 들었던 지난밤을 뒤로하고, 어김없이 찾아온 월요일은 역시나 낯설고 힘겹다. 신기하게도 일어나야 할 시간에 눈이 뜨이고, 주방으로 향하는 발걸음.

　어제 안친 보리 섞은 쌀밥을 푸고, 아직도 남아 있던 마라샹궈 냉동했던 걸 해동시키고, 파김치를 꺼내고, 비엔나소시지 세 알을 데우고, 바나나를 손으로 뚝뚝 잘라내고, 아몬드우유를 컵에 따랐다.

　마라샹궈를 깨끗하게 비우고, 종내 속 쓰림에 후회할 걸 알면서도. "마음만으로는 될 수 없고, 꼭 내 마음 같지도 않은 일들이 봄에는 널려 있었다"는 박준 시인의 시가 떠오르는 아침. 주말의 날씨와 차이 없는 예보를 보고, 다시 코트를 꺼내 입고 나서는 출근길. 지하철에 오르니 땀이 나는 건 또 어쩔 도리가 없다.(22.05.02)

보리쌀밥, 미라상귀, 비엔나소시지, 파김치, 바나나, 아몬드브리즈

#2 함박스테이크와 계란후라이

　오월이 되었고, 그동안 움츠러든 시간들이 고개를 들고 기지개를 켜는 요즘. 뿔뿔이 흩어져 있던 모임 사람들이 오랜만에 한 자리에 모였고, 지난 2년 간의 공백이 무색하게 즐겁게 웃고 떠들던 밤이 지나고. 생각보다 가벼운 몸과 마음으로 일어난 오늘 아침.

　냉동밥을 전자레인지에 돌리고, 파김치를 꺼내고, 함박스테이크를 데우고 그 위에 데미그라스소스를 붓고, 계란 두 알을 깨서 후라이를 만들고, 바나나 하나를 먹기 좋게 썰고, 아몬드우유를 컵에 담았다.

　선선한 공기가 기분 좋은 아침에 에어팟을 끼지 않고 걸었다. 도로 위를 지나는 자동차 소리와 익숙한 새소리와 사람들의 발소리가 귀에 선명하게 들리던 화요일 아침.(22.05.03)

보리쌀밥, 파김치, 함박스테이크, 계란후라이, 바나나, 아몬드브리즈

#3 간장계란밥과 참치통조림

어제는 낭만적인 섬에 잠시 당도했다가 이윽고 다시 현실에 배를 정박시키고 맞이하는 오늘 아침. 이제는 불을 안 켜도 환한 집에서 오늘도 나는 주방으로 가서.

냉동밥을 전자레인지에 돌리고, 그 위에 간장과 참기름을 넣고, 또 그 위에 계란후라이 두 장을 올리고, 참치통조림 한 캔을 따고, 비엔나소시지 다섯 알을 굽고, 파김치를 꺼내고, 바나나를 먹기 좋게 자르고, ABC주스 한 팩을 컵에 따랐다.

조금 세차게 불던 봄바람이 언제 그랬냐는 듯 잔잔하고, 따스한 기운이 가득한 오늘. 구름 없이 맑은 하늘과 초록빛이 가득한 거리를 기분 좋게 걷는 수요일의 출근길. 내일은 쉬는 날이라 더욱 가벼워지는 발걸음.(22.05.04)

간장계란밥, 비엔나소시지, 참치통조림, 파김치, 바나나, ABC주스

#4 소고기뭇국과 체리

연휴 전야를 하얗게 불태운 다음날의 아침밥을 건너뛰고 말았다. 어떻게든 차려 먹을까도 생각했지만, 도저히 밥 먹을 기운이 없었고 잠이 더 고팠다. 하루 종일 골골대다 조금 회복이 되어

지난밤에 아침거리를 챙겨놓고 잠든 나는.

냉동밥을 전자레인지에 돌리고, 냉동소고기뭇국을 푹 끓여내고, 함박스테이크 한 개를 데우고 그 위에 데미그라스소스를 붓고, 남은 파김치와 참치를 꺼내고, 체리 다섯 알을 씻어내고, 아몬드우유를 컵에 따랐다.

긴팔 셔츠 하나만 걸쳤는데도 더운 아침 출근길. 어제보다 맑고 또렷한 기분이어서 감사한 오늘이 또 금요일이라 행복한 아침. 파란 하늘을 닮은 마음으로 오늘도 힘차게!(22.05.06)

환밥 소고기뭇국 참치통조림 파김치 함박스테이크, 체리 아몬드우유

#5 낙지볶음밥과 청국장

금요일을 무사히 넘기고, 늦게 알람 맞춰두어도 일찍 눈이 뜨인 아침. 조금 뒤척이다가 이번 주 마지막 기록을 채우기 위해 오늘도 냉장고 문을 열고.

낙지볶음밥을 전자레인지에 돌리고, 냉동청국장을 한소끔 끓여내고, 참치통조림 하나를 따고, 비엔나소시지를 데우고, 남은 체리 다섯 알을 씻어내고, 그릭요거트를 꺼내고, 아몬드우유를 컵에 따랐다.

밀린 빨래를 돌리고, 천천히 아침밥을 챙겨 먹고 어떻게든 몸을 움직여 보기로 마음먹는 하루의 시작.(22.05.07)

낙지볶음밥, 청국장, 참치통조림, 비엔나소시지, 체리,
그릭요거트, 아몬드브리즈

"

어떻게든

차려 먹을까도 생각했지만,

도저히

밥 먹을 기운이 없었고

잠이 더 고팠다.

제육볶음과 쌈채소

말똥말똥한 눈으로 냉장고에 뭐가 있나 보다가

#1 검은콩밥과 근대된장국

　어제는 그동안 미루고 미루던 샤워실 배수구 트랩을 교체했고, 대대적인 화장실 청소를 했다. 또 한주 정도 방치한 음식물 쓰레기통을 깨끗이 비워냈고, 자기 전에는 오랜만에 밥을 안쳤다. 밀린 일을 해치우고 가벼운 마음으로 자고 일어나서는.

　검은콩이 들어간 따뜻한 쌀밥을 푸고, 해동시켜둔 근대된장국을 푹 끓여 담고, 본가에서 가져온 열무김치와 오이소박이를 꺼내고, 남은 참치도 꺼내고, 아몬드우유를 컵에 따랐다.

　드라이 맡겼던 재킷, 세탁한 속옷과 셔츠와 바지와 양말, 눈앞에서 느릿느릿 걷는 까치 한 마리, 볕을 한껏 받는 노오란 고양이와 저 멀리 보이는 현수막에 쓰인 글귀까지 모든 게 신선한 오늘 아침 월요일의 출근길.(22.05.09)

검은콩밥, 근대된장국, 열무김치, 오이소박이, 참치통조림, 아몬드브리즈

#2 제육볶음과 쌈채소

어제는 치과에서 정기검진을 마치고 두 역 정도 되는 거리를 걸었다. 마스크를 턱에 걸치고, 커피 한 잔을 마시며 선선한 밤의 거리를 느릿느릿 걸었다. 집에 와서는 재활용쓰레기를 한가득 버렸고, 누나가 준 제육볶음을 미리 볶아두었다. 오늘은 평소보다 조금 일찍 눈이 뜨였고, 어김없이 부엌으로 가서.

검은콩밥을 전자레인지에 돌리고, 남은 근대된장국과 어젯밤 볶은 제육볶음을 데우고, 열무김치와 쌈채소와 썰어둔 오이와 쌈장을 꺼내고, 아몬드우유를 컵에 담았다.

오늘 하늘은 흐려서인지 덥지 않고 선선한 바람이 불어 좋은 날. 봄꽃들은 어딘가로 숨어들고, 초록잎으로 가득한 거리를 걸으며 시간과 계절의 흐름을 빠르게 실감하는 오늘은 2022년, 봄, 오월, 화요일, 아침.(22.05.10)

검은콩밥, 근대된장국, 상추, 깻잎, 오이, 쌈장, 열무김치, 아몬드브리즈

#3 북엇국과 오이소박이

어제 한참을 지켜본 포차의 풍경이 아른거리는 아침. 평소보다 한참 늦게 일어나고 숙취로 몸이 내 몸 같지 않은 아침. 그래도 밥은 챙겨 먹겠다고 부엌으로 기어가서는.

검은콩밥을 전자레인지에 넣고, 지난밤 해동시킨 북엇국을 한 소끔 끓여 내고, 오이소박이와 열무김치를 꺼내고, 비엔나소시지를 데우고, 아몬드우유를 컵에 따랐다.

하늘의 파랑과 나무의 초록이 잘 어울린다고 생각하며 바라보는 하늘과 개천과 나무들. 지난밤 포차의 풍경이 오버랩되고 아직 헤롱헤롱한 아침 출근길.(22.05.11)

검은콩밥, 북엇국, 오이소박이, 열무김치, 비엔나소시지, 아몬드브리즈

#4 스팸구이와 구운김

체력 회복이 점점 더뎌짐을 실감하는 요즘. 어제는 운동하고 들어와 비교적 일찍 잠들었더니 조금은 가벼워진 아침. 말똥말똥한 눈으로 냉장고에 뭐가 있나 보다가.

검은콩밥을 전자레인지에 돌리고, 그 위에 계란후라이 하나를 올리고, 남은 북엇국을 데우고, 어제 먹고 남은 어묵볶음을 꺼내고, 구운김과 열무김치도 꺼내고, 스팸을 구워내고, 아몬드우유를 새로 산 유리컵에 따랐다.

마스크를 조금 내리고 코로 시원한 공기를 들이마시며 걸으니 상쾌한 기분이 드는 아침. 벌써 목요일이 도래했고, 이번 기록서랍도 끝이 보이니 시간의 흐름이 생생하게 보이는 듯해 여러 가

지 감정이 교차하는 목요일 아침.(22.05.12)

검은콩밥, 계란후라이, 북엇국, 열무김치, 어묵볶음,
스팸구이, 구운 김, 아몬드브리즈

#5 검은콩밥과 굴국

어제도 운동했고, 운동으로 소모한 열량보다 더 많은 칼로리의 음식을 먹었다. 소위 말짱 도루묵의 저녁 시간이 지나고, 찾아온 아침. 지난밤 냉장고에 해동시킨 냉동 굴국을 꺼내러 부엌으로 가서.

검은콩밥을 전자레인지에 돌리고, 굴국을 한소끔 끓여내고, 참치통조림 하나를 따고, 열무김치와 오이소박이를 꺼내고, 그릭요거트 하나도 준비했다.

네 번째 기록서랍 모임의 기록이 오늘로 마무리된다. 시간이 길어지니 어느새 습관이 되고, 차곡차곡 쌓인 기록에 뿌듯해하면서도 강박으로 남을까 걱정되기도 했다. 그러던 어느 날 아침밥을 거른 날이 오고 나서야 오히려 마음이 편해졌다. 기록이 주는 유용함이 크지만, 그전에 기록을 시작하던 첫 마음을 다시금 돌아보는 오늘의 아침밥.(22.05.13)

검은콩밥, 굴국, 참치통조림, 열무김치, 오이소박이, 그릭요거트

"
기록이 주는 유용함이 크지만,
그전에 기록을 시작하던
첫 마음을
다시금 돌아보는
오늘의 아침밥.

철판삼겹마무리볶음밥과 열무김치

이젠 정말 여름이다, 여름

#1 철판삼겹마무리볶음밥과 열무김치

폭풍 같은 주말이 지나고, 어김없이 찾아온 월요일 아침. 지난 밤엔 조금 쌀쌀해서 오랜만에 보일러를 틀어서 그런지 따뜻한 공기가 포근해 기분 좋게 부엌으로 가서.

철판삼겹마무리볶음밥을 전자레인지에 돌리고, 그 위에 계란 후라이 하나를 올리고, 쌈채소와 열무김치와 참치를 꺼내고, 유통기한이 조금 지난 그릭요거트를 준비했다.

밖으로 나오니 아직 남은 찬 공기가 느껴지지만 송골송골 땀이 맺히고, 마스크로도 땀이 스미는 것 같아 벗어서 살랑살랑 흔들어 말리며 걷는 출근길. 여름이 점점 가까워지는 기분. 이번 주에는 열심히 운동하기로 으레 또 다짐하고.(22.05.16)

철판삼겹마무리볶음밥, 계란후라이, 쌈채소, 열무김치,
참치통조림, 그릭요거트

#2 어묵탕과 오이소박이

스쿼트 조금 했다고 다리가 너덜너덜해진 어젯밤에 또다시 운동이 무색하게 든든하게 저녁을 챙겨 먹고. 뻐근한 몸을 일으켜 지난 저녁밥이 무색하게 또 아침밥을 챙겨 먹으러 주방으로.

어제 안친 밥을 푸고, 그 위에 계란후라이 하나를 올리고, 한소끔 끓인 어묵탕을 그릇에 담고, 구운김과 오이소박이와 열무김치를 꺼내고, 덴마크드링킹요구르트 딸기맛도 하나 꺼내 놓았다.

오늘도 아침부터 땀이 송골송골 맺히기 시작해 마스크를 벗고 지하철로. 지하철을 타자마자 땀이 폭발해 손수건으로 연신 땀을 훔치고. 이 글을 다 쓰고 얼른 재킷을 벗어야겠다.(22.05.17)

흰쌀밥, 계란후라이, 어묵탕, 열무김치, 오이소박이,
구운김, 덴마크드링킹요구르트딸기맛

#3 구운김과 참치통조림

지금의 내가 좋지만 급격히 불어난 체중은 내 몸 이곳저곳에서 나쁜 영향을 일으키고 있다는 걸 발견했으나 삼겹살에 소주가 당기는 건 또 어쩔 수 없고. 그래도 건강해지려면 저녁에 먹는 식사량을 줄여야 한다는 결론에 이르고. 아침은 늘 먹던 대로.

냉동밥과 어묵탕을 전자레인지에 돌리고, 구운김과 오이소박이와 열무김치를 꺼내고, 참치통조림 하나 따서 기름 빼서 그릇에 담고, 아몬드우유를 컵에 따랐다.

오늘은 재킷을 입지 않고, 당당히 마스크도 벗고 걷는 출근길. 너무 더워서 어쩔 수 없다. 지하철역으로 내려가기 전에 다시 마스크를 쓰니 차오르는 땀. 이젠 정말 여름이다, 여름.(22.05.18)

흰쌀밥 어묵탕 구운김 오이소박이 열무김치 참치통조림 아몬드브리즈

#4 명란마요비빔밥과 오이

집안일을 미루고 일찍 잠들어서 수십 번의 알람을 끄고 나서야 일어난 상쾌한 아침. 금세 목요일에 다다른 이번 주는 시간이 빨리 가는 것처럼 느껴지고. 오늘도 아침을 먹으러 주방으로 가서는.

냉동밥을 전자레인지에 돌리고, 그 위에 명란마요와 참기름을 두르고, 계란후라이 한 장을 올리고, 냉동시켜둔 어묵탕을 데우고, 열무김치와 오이소박이와 참치를 꺼내고, 미리 썰어 둔 오이와 쌈장도 꺼내고, 아몬드우유를 컵에 따랐다.

어제보다 더 더워진 오늘도 역시 마스크를 쓰지 않고 역까지 걸었다. 선선한 바람이 얼굴에 닿는 기분이 좋다. 십 분이 지나면 다시 마스크를 써야 하고, 땀이 차오를 테지만. 하지만 오늘은 더워도 점심에 산보하기로 마음먹는 출근길.(22.05.19)

명란마요비빔밥, 어묵탕, 오이소박이, 열무김치,
참치통조림, 오이, 쌈장, 아몬드브리즈

#5 부대찌개와 아몬드우유

　양팔에 한 대씩 예방주사를 맞고, 오늘은 운동하지 말란 간호사의 말에 과감히(!) 패스하고 밥만 든든히 먹고 빈둥대다 잠든 다음 날. 다행히 아픈 곳은 없이 정시에 일어나서는 오늘도 냉장고 문을 열고.

　냉동밥을 전자레인지에 돌리고, 어제 먹고 남은 부대찌개를 한소끔 끓이고, 늘 먹던 오이소박이와 열무김치와 참치를 꺼내고, 아몬드우유를 컵에 따랐다.

　다음 주 월요일이면 드디어 100개의 아침밥 기록을 채운다는 것이 신기한 오늘. 차곡차곡 쌓인 한 끼의 기록이 겨울과 봄을 지나 여름을 향하고 있고, 나는 덕분에 두 계절을 건강하게 보내고 있다. 더불어 매일 반복되는 기록에도 늘 공감해 주고 응원해 주는 마음 덕분이다.(22.05.20)

흰쌀밥, 부대찌개, 오이소박이, 열무김치, 참치통조림,
아몬드브리즈

"

나는 덕분에
두 계절을 건강하게 보내고 있다.
더불어 매일 반복되는 기록에도
늘 공감해 주고 응원해 주는
마음 덕분이다.

삼치조림과 민들레김치

하루의 순간들을 꼭꼭 씹어 먹는 이 시간

#1 삼치조림과 민들레 김치

주말의 시간이 순식간에 지나고 맞이하는 월요일 아침. 알람을 미루고 잠들었다가 꿈에서 밥 차리던 나는 깜짝 놀라 일어나고. 현실에서도 밥 차리기 위해 주방으로 가서.

지난밤 안친 검은콩밥을 푸고, 무 넣고 푹 끓인 삼치조림을 그릇에 담고, 본가에서 가져온 민들레김치와 명이나물과 열무김치를 꺼내고, 아몬드우유를 컵에 담았다.

오늘로 100번째 기록이 되는 오늘의 아침밥. 혼자 사는 시간도 어느덧 일 년을 채워가고, 나를 돌보는 일이 조금은 익숙해지는 것 같기도 하고. 꼭꼭 씹어 먹어야 소화가 잘 되듯 하루의 순간들을 꼭꼭 씹어 먹는 이 시간, 앞으로도 차곡차곡 쌓여가기를. 또다시 새로 시작된 기록모임도 즐겁고 힘차게!(22.05.23)

검은콩밥, 삼치조림, 민들레김치, 명이나물, 열무김치, 아몬드브리즈

#2 검은콩밥과 명이나물

PT 9회차가 끝나고, 벌써 성큼 다가온 여름, 그러나 드라마틱한 변화는 일어나지 않았다. 열심히 하지 않았으니 당연한 결과. 허나 매주 한 번이라도 헬스장 문턱을 넘었으니 그것만으로도 뿌듯해하며 오늘도 헬스가방을 챙기는 아침. 운동하려면 든든히 먹어야 하니 부엌으로 가서.

검은콩밥을 전자레인지에 돌리고, 남은 삼치조림을 데우고, 구운 김과 민들레김치와 명이나물장아찌를 꺼내고, 아몬드우유를 컵에 따랐다.

창문 열고 자서 그런지 조금 쌀쌀해서 잠시 보일러를 틀었다. 허나 문밖을 나서자마자 땀이 나기 시작하는 후덥지근한 아침 출근길. 지하철에서는 손수건으로 연신 땀을 훔치다가 문득 다가오는 여름은 어떻게 할 것인가 곰곰 생각해보다가. 결국 반팔셔츠를 사야 하나 심히 고민되고.(22.05.24)

검은콩밥 삼치조림 구운김 민들레김치 명아주물장아찌 아몬드브리즈

#3 무조림국과 구운김

그리 열심히 하지도 않았는데도 이틀 연속 헬스장 문턱을 넘어서 그런지 온몸에 생긴 근육통이 나쁘지 않은 아침. 스트레칭하며 일어나서는 주방으로 가서.

냉동밥을 전자레인지에 돌리고, 아직도 남은 삼치 없는 삼치조림국물을 데우고, 구운 김과 민들레김치와 열무김치를 꺼내고, 유리컵에 아몬드우유를 따랐다.

오늘은 운동가방 없이 양손 가벼웁게 밖을 나선 출근길. 도로에는 선거유세 차량이, 길에는 선거유세 하는 사람들이 쨍한 색깔의 옷을 입고 목소리를 높이고. 이제 곧 사전 투표해야 하는 날이 이틀 앞으로 다가온 게 실감나고.(22.05.25)

검은콩밥, 무조림국, 구운김, 민들레김치, 열무김치, 아몬드브리즈

#4 매생이계란말이와 열무김치

지난밤 비가 추적추적 내렸고, 오랜만에 맞는 비가 나쁘지 않았다. 지난밤 다 쏟아냈는지 아침 하늘은 맑게 개었다. 숙취 없이 가볍게 일어난 아침에 오늘도 부엌으로 가서.

냉동밥을 전자레인지에 돌리고, 누나가 준 매생이 블록을 넣어 계란말이를 만들고, 열무김치와 민들레김치를 꺼내고, 아몬드 우유를 유리잔에 따랐다.

평소 다니는 길에서 벗어나 (그래봤자 도로 맞은편이지만) 평소와는 다른 길로 걸었다. 나뭇가지가 낮게 드리운 길을 걸으며 초록잎의 모양을 들여다보고 어디선가 흘러오는 꽃향기를 깊이 들이마셨다. 매일같이 더운 날의 연속이지만, 시간은 금세 목요일에 다다르고.(22.05.26)

검은콩밥, 매생이계란말이, 열무김치, 민들레김치, 아몬드브리즈

#5 베이컨깍두기볶음밥과 스크램블드에그

휴가라 평소보다 늦게 일어난 아침. 고작 두 시간 늦게 일어났지만 이게 뭐라고 기분 좋은 시작. 할 일이 많은 오늘, 든든히 아침 챙겨 먹기 위해 주방으로.

냉동베이컨깍두기볶음밥을 전자레인지에 돌리고, 그 위에 계란후라이 하나를 올리고, 스크램블드에그를 하나 만들고, 열무김치와 오이소박이를 꺼내고, 바나나 하나를 먹기 좋게 썰고, 아몬드우유를 컵에 담았다.

빨래를 돌리고, 집정리를 조금 하고는 밖으로 나와 집 앞에 있는 사전투표소에서 얼른 투표하고 돌아가는 길. 다리 밑에 개천이 흐르고, 천변에 노란 꽃이 시선을 끌고, 그 풍경이 예뻐서 눈에 담고 사진도 한 장 찍고 다시 집으로.(22.05.27)

베이컨깍두기볶음밥, 스크램블드에그, 열무김치,
오이소박이, 바나나, 아몬드브리즈

"

꼭꼭 씹어 먹어야 소화가 잘 되듯
하루의 순간들을
꼭꼭 씹어 먹는 이 시간,
앞으로도
차곡차곡 쌓여가기를.

미역국밥과 요구르트

오늘 하루도 좋은 일들이 많이 많이 일어나기를

#1 곡물밥과 깻잎장아찌

　주말 보내고 다시 찾아온 낯선 아침이라 그런지 시간을 착각해서 늦게 일어났다. 아무리 늦어도 아침밥을 빼먹을 수 없으니 얼른 주방으로.

　냉동곡물밥을 전자레인지에 돌리고, 떡볶이맛 닭가슴살 하나를 데우고, 그 옆에 감자샐러드를 담고, 깻잎장아찌와 민들레김치와 명이나물장아찌를 꺼내고, 에그타르트와 요구르트도 꺼내고, 아몬드우유를 유리컵에 담았다.

　오늘부터 바쁜 업무가 있는데 지난주 준비를 제대로 못 해서 마음이 조급해지는 아침. 못하면 못하는 대로 할 수 있는 만큼 차근차근 해보기로 마음먹는 출근길.(22.05.30)

곡물밥, 떡볶이맛 닭가슴살, 깻잎장아찌, 민들레김치,
명이나물장아찌, 감자샐러드, 에그타르트, 요구르트, 아몬드브리즈

#2 새우볶음밥과 닭가슴살큐브

오늘도 조금 늦게 일어난 아침. 어제는 마지막 PT를 받았고, 상체와 하체 모두 너덜너덜해졌지만, 그 여파가 다행히 아침까지 가진 않았다. 지난주 집들이 여파로 먹을 것이 풍성한 요즘, 뭘 먹을까 고민하며 냉장고 문을 열고.

냉동새우볶음밥을 전자레인지에 돌리고, 갈비맛 닭가슴살큐브를 데우고, 깻잎장아찌와 민들레김치와 명이나물장아찌를 꺼내고, 에그타르트를 토스터기에 굽고, 유리컵에 아몬드우유를 따랐다.

잔뜩 흐리던 어제와 달리 오늘 하늘은 구름 한 점 없이 맑다. 오랜만에 배드민턴을 하기 위해 바리바리 짐을 챙기고, 내일이 쉬는 날이라 그런지 조금은 가벼운 기분의 출근길.(22.05.31)

새우볶음밥, 닭가슴살큐브, 깻잎장아찌, 민들레김치,
명이나물장아찌, 에그타르트, 아몬드브리즈

#3 양밥과 컵케이크

늦게 자고, 알람을 늦게 맞춰도 제시간에 눈이 뜨이는 건 어쩔 수 없나 보다. 그래도 다시 이불 끌어당겨 한숨 더 잘 수 있어 행복한 휴일의 아침. 그것도 얼마 못가 일어나서 오늘도 주방으로 가서.

냉동 양밥을 전자레인지에 돌리고, 갈비맛 닭가슴살도 데우고, 깻잎장아찌와 민들레김치와 명이나물장아찌를 꺼내고, 컵케이크 하나와 그릭요거트 하나를 꺼내 놓았다.

지난 이틀간 열심히 운동해서 그런지 온몸이 뻐근한 아침. 몸을 이리저리 움직이며 스트레칭을 해보니 조금 괜찮아지는 것도 같고. 창문을 활짝 여니 오늘도 맑은 하늘, 한산한 도로가 보이고. 오늘 하루도 좋은 일들이 많이 많이 일어나기를.(22.06.01)

오발탄양밥, 갈비맛 닭가슴살, 깻잎장아찌, 민들레김치,
명이나물장아찌, 컵케이크, 그릭요거트

#4 미역국밥과 요구르트

알람을 맞추지 않은 채 잠들었지만 평소보다 이른 시간에 일어난 아침. 숙취도 없어 가뿐하게 일어난 게 신기한 하루. 일어나서 오늘도 어김없이 냉장고 문을 열고.

냉동미역국밥을 전자레인지에 돌리고, 떡볶이맛 닭가슴살을 데우고, 깻잎장아찌와 열무김치와 민들레김치를 꺼내고, 요구르트와 에그타르트도 꺼냈다.

오늘은 생일이지만, 그동안 생일에는 일이 더 많거나 그리 좋은 날이 되진 못했다. 그래서인지 마음이 그리 편치 않은 아침을 맞았고, 더욱이 오늘 하루를 잘 버텨내야 한다는 의지가 강해지는 오늘의 출근길.(22.06.02)

미역국밥, 떡볶이맛 닭가슴살, 깻잎장아찌, 민들레김치,
열무김치, 요구르트, 에그타르트

#5 떡볶이맛 닭가슴살과 바나나

어제는 일찍 잠들었고, 아침에 일찍 눈이 뜨였다. 하루 종일 축하를 많이 받았고, 아침에도 전해오는 메시지를 감사한 마음으로 읽었다. 벌써 금요일이 되었고, 이번 주의 마지막 아침밥을 먹기 위해 주방으로 가서.

냉동새우볶음밥을 전자레인지에 돌리고, 떡볶이맛 닭가슴살을 데우고, 깻잎장아찌와 민들레김치와 열무김치를 꺼내고, 바나나를 먹기 좋게 썰고, 하나 남은 요구르트를 꺼냈다.

녹음도 꽃내음도 짙어진 거리를 천천히 걸어보는 아침. 오늘도 일찍 밖으로 나와서 여유로이 주변을 둘러보면서. 그러다 연락을 끊었던 친구에게 온 축하 문자에 미안함과 고마움을 담은 답신을 보내고. 조금은 홀가분한 마음으로 시작하는 금요일 아침.(22.06.03)

새우볶음밥, 떡볶이맛 닭가슴살, 깻잎장아찌,
민들레김치, 열무김치, 바나나, 요구르트

"

못하면 못하는 대로
할 수 있는 만큼
차근차근 해보기로
마음먹는 출근길.

족발볶음밥과 무말랭이

왠지 보너스 얻은 것 같아 기분 좋은 출근길

#1 미역국과 가오리회무침

오늘은 쉬는 날. 지난밤 즐겁게 보내고 알람 없이 푹 자고 일어난 아침. 개운한 기분으로 빨래를 돌리고 느긋하게 아침을 차려 먹는 월요일. 지난주 가족 집들이로 냉장고에 먹을 것이 가득해서 뭘 먹을까 고민하게 되는 아침.

냉동 곤드레밥을 전자레인지에 돌리고, 엄마가 끓여주신 미역국을 데우고, 누나가 만들어와 먹고 남은 수육 두 점도 데우고 그 옆에 가오리회무침을 곁들이고, 누나가 만든 치킨샐러드와 엄마가 해 오신 어묵볶음과 시금치무침도 꺼냈다.

푸짐한 한상 차림이 되었고, 든든하게 배를 채우고 택배로 도착한 생일선물을 풀어보는데, 선물에 담긴 따뜻한 마음과 귀여운 모양에 행복한 아침..이 아니고 벌써 낮이 되었다..!(22.06.06)

곤드레밥, 미역국, 차건샐러드, 가오리회무침, 수육, 어묵볶음, 시금치무침

#2 족발볶음밥과 무말랭이

긴 연휴 시간 동안 알차게 보내고 맞이하는 화요일이라 그런지 지난 연휴가 꿈만 같은 아침. 아침에 일찍 일어나는 일이 또다시 어색해지고. 그래도 지난밤에는 아침거리를 미리 챙겨두고 자서 다행인 아침.

어제 먹고 남은 족발볶음밥과 족발을 전자레인지에 돌리고, 반찬으로 나왔던 무말랭이와 이름 모를 장아찌와 부추와 무쌈을 꺼내고, 잔뜩 숙성된 바나나 한 개와 아몬드 우유를 준비했다.

하늘은 다시 파랗고, 바람은 조금 차서 그런지 그렇게 덥지 않은 아침. 월요일이 아니고, 화요일이라 왠지 보너스 얻은 것 같아 기분 좋은 출근길.(22.06.07)

족발볶음밥, 족발, 부추, 무말랭이, 무쌈, 장아찌, 바나나, 아몬드브리즈

#3 강낭콩밥과 오렌지맛 카프리썬

　어제는 검사 결과가 나왔고, 일단 체중 감소가 중요하고 수술도 필요하다는 말을 들었다. 만만찮은 비용에 한숨부터 나오고, 무거운 마음에 바깥을 한참 걷다 집으로 들어왔다. 아침에 일어나 드는 생각은 잘 먹고 잘 자는 게 이토록 중요하다는 것. 여느 때처럼 아침을 먹기 위해 냉장고 문을 열고.

　어제 안친 강낭콩밥을 푸고, 남은 미역국을 데우고, 가오리회무침과 명이나물장아찌와 오이소박이를 꺼내고, 블루베리요거트와 오렌지주스도 준비했다.

　오늘부터는 정말 먹는 것도 조절하고, 운동도 쉬지 않고 매일 하기로 다짐하는 아침. 하늘은 맑고, 땀이 주르륵 쏟아지는 더운 날씨에 출근하는 나는 오늘 하루도, 이번 한 달도, 올 한 해 건강하게 즐겁게 살기로 또 한 번 굳게 다짐하는 수요일 아침.(22.06.08)

강낭콩밥, 미역국, 가오리회무침, 명이나물장아찌,
오이소박이, 블루베리그릭요거트, 카프리썬오렌지맛

#4 배추김치와 애호박볶음

어제는 오랜만에 평일에 영화를 보았고, 오랜만에 영화 보는 즐거움을 만끽했다. 하지만 집에 늦게 도착했고, 이것저것 정리하다 보니 금세 새벽 두 시. 아침에 일어나는 게 힘겹지만 출근해야 하니 부엌으로.

강낭콩밥을 전자레인지에 돌리고, 남은 수육을 데우고, 쌈채소와 장아찌와 부추와 배추김치와 애호박볶음을 꺼내고, 아몬드우유를 컵에 따랐다.

오늘은 처음으로 반팔셔츠를 입고 밖을 나섰다. 확실히 가벼운 느낌이 좋다. 비가 올 것 같은 하늘이지만 여전히 더운 날에 딱 맞는 옷차림으로 오늘도 힘차게 시작하기로 다짐하는 목요일의 출근길.(22.06.09)

강낭콩밥, 수육, 쌈채소, 쌈장, 부추, 장아찌, 배추김치,
애호박볶음, 아몬드브리즈

#5 토스트와 사과

어제도 늦게 잠든 탓에 피곤이 덕지덕지 붙은 채로 일어난 아침. 심지어 늦게 일어나기까지 해서 밥 차려 먹을 시간조차 없다.

이럴 땐 간단히 먹기 위해 냉동해 둔 식빵 한 조각을 꺼내고.

냉동식빵을 토스트기에 올리고, 새 딸기잼을 개봉하고, 달걀감자샐러드를 그릇에 담고, 사과 반쪽을 먹기 좋게 자르고, 블루베리그릭요거트 하나를 꺼내고, 아몬드우유를 컵에 따랐다.

선물 받은 귀여운 브레드플레이트와 우드나이프를 사용하며 뜻밖에 즐거움을 누린 아침. 오늘도 역시 덥고 등에 차오르는 땀이 이제는 자연스러운 여름의 초입. 오늘 하루도 푸르게 보낼 수 있기를 바라는 마음의 출근길.(22.06.10)

식빵, 딸기잼, 달걀감자샐러드, 사과, 블루베리그릭요거트, 아몬드브리즈

"

오늘 하루도

푸르게 보낼 수 있기를

바라는

마음의 출근길.

6월 3주차

맛다시비빔밥과 도가니탕

상쾌한 기운을 당신의 두 손에

#1 맛다시비빔밥과 도가니탕

지난 주말 행복했던 "I"의 모임이 있었고, 시간은 순식간에 점프하여 월요일이 되었다. 아침에 일찍 일어나는 일이 역시나 어색한 아침. 선물 받은 맛다시로 양껏 비벼놓고 남겨둔 비빔밥 한 그릇을 꺼내고.

비빔밥을 살짝 데우고, 도가니탕도 푹 끓여지도록 전자레인지에 돌리고, 명이나물장아찌와 어묵볶음과 배추김치를 꺼내고, 사과 한쪽을 깎아 내고, 오렌지주스도 하나 꺼냈다.

잔뜩 흐린 하늘 아래 서둘러 출근하는데 손수건 깜빡한 게 생각나고, 이마에 땀방울이 송골송골 맺히고, 등줄기를 타고 땀이 흐르는 오늘 아침. 긴팔 소매를 걷어붙이고 오늘도 오늘의 기록을 남겨 본다.(22.06.13)

맛다시비빔밥, 도가니탕, 명이나물장아찌, 어묵볶음,
배추김치, 사과, 카프리썬오렌지맛

#2 치킨수프와 어묵볶음

어제는 본가에서 가구 버리는 일을 도와드렸다. 무조건 버리자는 아빠와 그걸 반대하는 엄마 사이에 팽팽한 신경전이 있었고, 땀 흘리며 둘 사이를 오가며 중재해야 했다. 중국음식을 사이좋게 나눠 먹으며 마무리했다. 문 앞까지 나와 고맙다며 손 흔드는 엄마에게 나도 손 인사하며 집으로 돌아오는 길에. 문득, 엄마에게 잔소리를 너무 늘어놓은 것 같아 죄송한 마음이 들고. 다음엔 조금 줄여야지 생각하던 밤이 지나고, 또다시 찾아온 아침에.

강낭콩밥을 전자레인지에 돌리고, 냉장고에 해동시킨 치킨수프를 데우고, 명이나물장아찌와 어묵볶음과 배추김치를 꺼내고, 그릭요거트 하나와 아몬드우유를 준비했다.

오늘따라 하늘도 나무도 더욱 푸르게 보이는 아침. 전엔 몰랐던 동네목욕탕이 집 가까이에 있단 걸 알게 되고, 오늘은 깨끗하다고 말하는 미세먼지 신호등도 발견하고, 지하철 안에 큰 무대 공간이 있는 것도 보았다. 그동안 잘 안다고 생각했던 출근길이었는데 너무 앞만 보고 걸었나 하는 생각이 들다가. 아마도 분주하던 내 마음에 한 스푼의 여유가 생겼나 싶고.(22.06.14)

강낭콩밥, 치킨수프, 명이나물장아찌, 어묵볶음,
배추김치, 그릭요거트, 아몬드브리즈

#3 차돌깍두기볶음밥과 훈제오리

어제는 평소보다 일찍 잠들었고, 역시나 평소보다 이른 아침에 눈이 뜨였다. 그동안 몸을 조금은 혹사시켰나 싶으면서도 다시 돌아온 일상의 리듬에 안정감을 느끼며 주방으로 가서.

차돌깍두기볶음밥을 전자레인지에 돌리고, 훈제오리 한 팩을 데우고, 배추김치와 깻잎장아찌와 명이나물장아찌를 꺼내고, 유리잔에 아몬드우유를 따랐다.

비가 올 줄 알아서 우산을 챙겼으나 막상 밖에 나오니 비가 오지 않고. 허나 몇 걸음 못 가 후드득 떨어지는 빗방울에 얼른 우산을 펴고. 오랜만에 내리는 비를 보니 속이 시원한 아침의 출근길.(22.06.15)

차돌깍두기볶음밥, 배추김치, 깻잎장아찌,
명이나물장아찌, 훈제오리, 아몬드브리즈

#4 콩비지찌개와 오이소박이

이번 주부터 마음먹고 점심 운동을 시작했고, 저녁에는 집에서 운동하기로 했으나 집에 오자마자 씻고 밥 먹고 곧장 누워버리는 나를 보고는 아, 한결같은 사람.. 잠깐 잠들었다가 일어나 설거지를 하고, 빨래 널고 제대로 눕고 나니 순식간에 아침이 오고.

어제 안친 밥을 그릇에 담고, 콩비지찌개를 한소끔 끓여 내고, 오이소박이와 명이나물장아찌와 배추김치와 김을 꺼내고, 아몬드 우유를 컵에 따랐다.

자도 자도 피곤한 요즘. 몸이 건강해야 조금을 자도 피로가 풀린다는데 몸 여기저기에 나타난 이상신호가 느껴지고. 이제는 하나씩 꺼야 하는데, 아직은 생각만 하고 있다. 오늘부터는 조금 더 몸을 움직여 보기로 다짐해 보는 비 오는 출근길.(22.06.16)

흰쌀밥 콩비지찌개 오이소박이 명이나물장아찌 배추김치 김 아몬드브리즈

#5 흰쌀밥과 비엔나소시지

어제는 오랜만에 대학 친구를 만났고, 소주 없이 곱창을 먹고, 2차로 커피를 마시면서도 오랜 시간 이야기를 나눴다. 불과 몇 년 사이에 부쩍 성숙해진 친구의 모습을 보면서 그동안 나 스스로도 많이 달라졌다는 걸 새삼 깨달았다. 물론 급격히 체중이 불어난 게 가장 큰 변화였지만. 그리고 아침밥 먹는 생활이 익숙해진 것도 큰 변화였고, 오늘도 나는 냉장고 문을 열고.

냉동밥을 전자레인지에 돌리고, 어제 반절 남겨둔 콩비지찌개를 데우고, 비엔나소시지와 오이소박이와 배추김치를 꺼내고, 아몬드우유도 컵에 따랐다.

　어느새 이번 달 기록모임 마지막 기록의 시간이 되었다. 즐겁게 기록을 하던 마음에서 어느 순간에는 형식적으로 하는 나를 발견하기도 했지만, 그렇게 쌓인 기록들은 성실하게 피드를 채웠고 또 일상의 그라데이션을 만들었다. 덧없이 흐르는 시간을 붙잡아 두고 평소엔 몰랐던 나의 색깔을 점점 진하게 만들었고, 어떤 부분은 점차 옅어지게 했다. 기록모임은 오늘부로 잠시 안녕을 고하지만, 오프라인모임에서의 반가운 만남은 조금은 무뎌진 내 마음을 부드럽게 했고 첫 마음을 다시금 불러일으켰다. 이제는 혼자 애써보다가 게을러지는 순간이 오면 지체 없이 다시 찾아올 곳이 있어 든든하다. 모두에게 감사하는 마음이 샘솟는 이 아침, 하늘은 잔뜩 흐리지만 시원한 바람이 불어 상쾌한 기운을 당신의 두 손에.(22.06.17)

흰쌀밥 콩비지찌개 비엔나소시지 오이소박이 배추김치 아몬드브리즈

"

그동안 잘 안다고 생각했던

출근길이었는데

너무 앞만 보고 걸었나 하는 생각이 들다가

아마도 분주하던

내 마음에

한 스푼의 여유가 생겼나 싶고.

오모가리김치참치찌개와 구운 김

홀로 서는 기분으로 쓰는 첫 아침밥 기록

#1 오모가리김치참치찌개와 구운 김

　폭풍 같은 주말이 지나고, 또다시 맞이하는 월요일 아침. 어제는 종일 누워 자거나 일어나서 잠시 밥 먹은 게 다였다. 그래서인지 평소보다 조금은 가뿐한 아침.

　냉동밥을 전자레인지에 돌리고, 어제 끓여둔 오모가리김치참치찌개를 데우고, 깻잎장아찌와 비엔나소시지를 꺼내고, 사과 반의반 쪽을 먹기 좋게 자르고, 아몬드우유를 컵에 따랐다.

　기록모임이 끝나고, 홀로 서는 기분으로 쓰는 첫 아침밥 기록. 그동안 해왔던 대로 그렇게 차곡차곡 써 나가기로. 이번 주는 회사 리모델링으로 한 달간 임시 사무실을 써야 해서 짐을 싸야 한다. 땀도 많이 나고 매우 바쁜 하루가 예상된다. 조금 긴장한 상태로 오늘 하루도 힘내서!(22.06.20)

흰쌀밥, 오모가리김치참치찌개, 구운김, 깻잎장아찌,
비엔나소시지, 사과, 아몬드브리즈

#2 블루베리베이글과 딸기잼

어제는 오랜만에 헬스장에 다녀왔고, 오랜만에 느끼는 근육통
이 반가웠다. 하지만 역시 집에 오자마자 지쳐 눕고 마는 나는
간신히 끼니만 해결하고 잠들었다.

블루베리베이글을 토스트기에 데우고, 딸기잼과 블루베리잼을
꺼내고, 사과 반의반 쪽을 먹기 좋게 깎아 내고, 유리컵에 아몬
드우유를 따랐다.

다음 주부터 시작되는 회사 리모델링으로 임시 사무실로 옮길
준비를 하는 이번 주는 내내 바쁘다. 더운 날 짐을 싸려니 온몸
이 금세 땀범벅이 되고 만다. 오늘 점심엔 낮잠 말고 헬스장 가
서 운동하고 시원하게 씻기로 계획을 세우는 인프제(INFJ)의
출근길.(22.06.21)

블루베리베이글, 딸기잼, 블루베리잼, 사과, 아몬드브리즈

#3 어니언치즈베이글과 사과버터잼

어제는 서울에서 약속이 있었고, 열 시쯤 헤어지고 집에 도착하니 열한 시 반이 넘었다. 살포시로 향하던 삼남매의 마음에 깊이 공감할 수밖에 없는 밤이 지나고 맞이하는 아침. 밥 차리기 귀찮아 오늘도 빵으로 해결하기 위해.

어니언치즈베이글을 토스트기에 데우고, 닭가슴살큐브를 전자레인지에 돌리고 그 위에 살사소스를 얹고, 계란후라이 하나를 부치고, 딸기잼과 사과버터잼을 꺼내고, 아몬드우유를 준비했다.

회사에서 짐 싸느라 땀범벅이 된 어제. 오늘도 마찬가지라 아예 반팔셔츠를 챙겨 입고 잔뜩 긴장한 마음으로 집 밖을 나서는데 하늘은 잔뜩 흐리지만 비는 오지 않는다고.(22.06.22)

어니언치즈베이글, 계란후라이, 닭가슴살큐브, 딸기잼,
사과버터잼, 아몬드브리즈

#4 차돌된장찌개와 오이소박이

어제는 운동을 포기하고, 집으로 향했다. 회사에서 이삿짐 싸느라 시간은 빨리 가지만 몸은 녹초가 되었다는 핑계를 대고. 덕분에 여유롭게 집 근처에서 저녁을 먹었고, 먹고 싶었던 수박

주스도 한 잔 시원하게 마실 수 있었다.

냉동밥을 전자레인지에 돌리고, 지난밤 끓여둔 차돌된장찌개를 데우고, 비엔나소시지와 오이소박이와 깻잎장아찌를 꺼내고, 유리컵에 아몬드우유를 따랐다.

샤워가 무색하게도 땀이 비 오듯 쏟아지는 아침 출근길. 오늘도 반팔 셔츠를 입고, 손수건을 챙기고. 마스크 속 더운 숨이 갑갑하지만 지하철의 시간을 오늘도 잘 버텨보기로.(22.06.23)

흰쌀밥 차돌된장찌개 비엔나소시지 오이소박이 깻잎장아찌 아몬드우유

#5 해시브라운과 닭가슴살

어제는 우산을 써도 소용없이 쫄딱 젖었고, 집 앞 하천에는 산책길이 잠길 정도로 비가 많이 내렸다. 꿉꿉한 옷을 벗어젖히고 깨끗이 씻고 난 후 짬뽕과 탕수육을 먹었다. 배 두들기면서 에어컨 바람을 누리며 빗방울이 두드리는 창문을 바라보자니, 이게 호사구나 싶었다.

냉동 식빵 한 조각과 해시브라운 하나를 토스트기에 데우고, 닭가슴살 한 팩을 전자레인지에 돌리고 그 위에 살사소스를 얹고, 딸기잼과 블루베리잼과 치즈 한 장을 꺼내고, 아몬드우유를 한 잔 준비했다.

오랜만에 "셰이프 오브 워터:사랑의 모양"의 OST를 듣는 아침 출근길. 비는 그쳤지만 빗방울을 머금은 이파리들에게서 지난밤의 흔적을 발견하고, 매번 똑같은 일상을 충만히 누리던 일라이자의 미소를 잠시나마 떠올리는 오늘은 벌써 금요일.(22.06.24)

식빵, 닭가슴살, 살사소스, 해시브라운, 딸기잼,
블루베리잼, 슬라이스치즈, 아몬드브리즈

"

배 두들기면서 에어컨 바람을 누리며
빗방울이 두드리는 창문을
바라보자니,
이게
호사구나 싶었다.

6월 5주차

연두부와 미나리오징어초무침

아무것도 하기 싫은 날들이 계속되고 있다

#1 뿌리채소영양솥밥과 오징어젓갈

알차게도 놀았던 주말의 시간이 금세 지나 또다시 맞이한 월요일 아침. 장마가 시작되어 잔뜩 긴장했으나 맑은 날의 연속이었던 주말에 이어 오늘도 비 없이 흐린 날.

뿌리채소영양솥밥을 전자레인지에 돌리고, 어제 먹고 남은 분짜와 단무지와 오징어젓갈을 꺼내고, 모둠 과일 조각들과 아몬드우유를 준비했다.

임시사무실 출근 첫날, 좀 더 멀어진 탓에 평소보다 일찍 나왔으나 출입카드를 두고 나와 다시 집으로. 집 밖을 나서니 그동안 못 보던 새가 보이고, 녹음의 냄새가 짙게 코를 자극한다. 오늘은 월요일, 한 주도 힘차게!(22.06.27)

뿌리채소영양솥밥, 분짜, 단무지, 오징어젓갈,
모둠 과일, 아몬드브리즈

#2 비프카레와 모둠 과일

세차게 부는 바람 때문인지 자다 깨서 한동안 잠 못 이루던 밤이 지나고 찾아온 아침. 여전히 창문이 심하게 흔들리고, 하늘은 잔뜩 흐리고.

현미밥을 전자레인지에 돌리고, 그 위에 비프카레를 얹고 한 번 더 데우고, 사골미역국 건조 블록에 뜨거운 물을 붓고, 깻잎장아찌와 오징어젓갈을 꺼내고, 남은 모둠 과일과 아몬드우유를 준비했다.

오늘은 조금 늦게 나와 정시에 가까스로 맞출 것 같은데. 지하철을 기다리는 지금, 땀으로 또 흠뻑 젖었다. 손수건으로 연신 땀을 훔쳐보지만 턱도 없다. 마스크 안에 고이는 뜨거운 공기에 숨이 막히는 한 여름 극한의 출근길, 오늘 하루도 무사히 보낼 수 있기를.(22.06.28)

발아현미밥, 비프카레, 사골미역국, 깻잎장아찌, 오징어젓갈,
모둠 과일, 아몬드브리즈

#3 연두부와 미나리오징어초무침

한 치 앞도 알 수 없는 하루하루, 아무것도 하기 싫은 날들이 계속되고 있다. 밥 먹고 치우지 않은 설거지가 이틀은 기본이

되고, 빨래를 널어놓고 개지 않고 있다. 그나마 할 수 있는 일이라곤 아침을 챙겨 먹는 일.

버섯솥밥을 전자레인지에 돌리고, 사골미역국 건조 블록에 뜨거운 물을 붓고, 연두부 하나를 꺼내 그 위에 유자소스를 얹고, 미나리오징어초무침을 무치고, 오징어젓갈을 꺼내고, 아몬드우유를 유리잔에 따랐다.

결국엔 움직여야 한다는 것. 일어나서 설거지하고, 빨래를 개고, 청소기를 돌리고, 바닥을 닦고, 먼지 쌓인 운동기구를 꺼내들고, 미뤄둔 시험문제집을 펴고, 축 처진 나를 돌아보는 일을 시작해야 한다는 것. 바람 부는 출근길에 다시금 잡아보는 어떤 마음.(22.06.29)

버섯솥밥, 사골미역국, 연두부, 미나리오징어초무침,
오징어젓갈, 아몬드브리즈

#4 그릭요거트와 블루베리

오랜만에 야근했고, 차장님과 술 한잔 걸치고 적당한 취기로 퇴근하던 지난밤. 종일 비가 오다 말다 하는데 내릴 때는 세차게 쏟아지니 장마가 실감나는 요즘.

그릭요거트 큰 통 하나를 따고, 그 위에 냉동블루베리와 딸기잼을 없고, 사과 한 알을 먹기 좋게 자르고, 아몬드우유를 컵에 담았다.

어제와 다름없이 세차게 쏟아지는 비는 이미 길바닥에 수많은 웅덩이를 만들었고, 다리 밑 하천의 산책로가 잠겼다. 미처 피하지 못한 웅덩이에 신발이 조금 젖었고, 장우산을 바지 주머니에 꽂은 채로 지하철 에어컨 바람을 쐬며 오늘의 기록을 남긴다. 오늘 하루도 무사히!(22.06.30)

그릭요거트, 블루베리, 사과, 딸기잼, 아몬드브리즈

#5 발아현미밥과 사골미역국

어제도 적당한 취기로 집에 들어왔고, 아무것도 하지 않고 씻기만 하고 잠에 들었다. 비는 세차게 내리고, 고민과 걱정만 늘어놓는 나는 누워만 있고 싶어진다. 허나 아침은 오고, 최대치의 힘을 내어 부엌으로 가서는.

오뚜기 발아현미밥 하나를 전자레인지에 돌리고, 사골미역국 건조블록을 뜨거운 물에 풀고, 비엔나소시지와 오이소박이와 미나리오징어초무침과 오징어젓갈을 꺼내고, 아몬드우유를 컵에 따랐다.

비가 오지 않으나 우산을 챙기고 흐린 하늘 아래 젖은 길을 걷는 내 온몸에 땀구멍이 활짝 열렸다. 얼른 손수건으로 이마와

목에 맺힌 땀을 훔치며 지하철로 향한다. 금요일이라는 사실 하나만으로 위로가 되는 오늘의 출근길.(22.07.01)

발아현미밥, 사골미역국, 오이소박이, 비엔나소시지,
미나리오징어초무침, 오징어젓갈, 아몬드브리즈

"

결국엔 움직여야 한다는 것.
일어나서 설거지를 하고,
빨래를 개고,
청소기를 돌리고,
바닥을 닦고,
먼지 쌓인 운동기구를 꺼내 들고,
미뤄둔 시험문제집을 펴고,
축 처진 나를 돌아보는 일을
시작해야 한다는 것.

에필로그_내일의 아침밥

하루의 끝에서 내일의 아침밥을 생각한다

2021년 12월 31일, 새해 전야에 친구들과 부루마블을 하고 있었다. 둘씩 편짜고 세계여행을 시작했다. 한 번 이겨보겠다고 간절한 마음으로 주사위를 던졌다. 하지만 통행료가 비싼 상대 팀 나라에만 계속 걸렸고, 끝내 파산하고 말았다. 비록 게임은 졌지만, 우리의 말을 '새해'라는 출발점에 다시 두었다. 그리고 빈 종이 한 장씩 서로 나눠 갖고, 3X3 새해 빙고를 만들었다. 우리는 각자 빙고 한 줄을 완성하면, 함께 모여 서로를 축하해주기로 약속했다. '근골격량 1.5kg 증가', '부모님과 여행 가기' 등으로 한 칸씩 채워 나갔다. 그중에 '일기 쓰기 6개월'도 빙고 한 칸에 담았다.

일기장에 아침밥 기록을 채우겠다던 새해 다짐은 어느새 10월의 어느 멋진 날에 이르렀다. 그동안 일기장에 아침밥 기록이 차곡차곡 쌓였다. 아카이브된 인스타 계정의 게시물이 200개를 돌파했고, 첫 게시물을 보려면 스크롤을 한참 내려야 했다. 사진만 보아도 그날의 순간이 새록새록 떠올랐다. 코로나에 걸려 고생하며 죽만 먹던 날, 숙취로 밥이 들어가지 않아 간신히 빵과 우유를 입안에 욱여넣던 날, 지방 출장 가서 복국 한 그릇을 깨끗이 비우던 날, 한동안 베이글에 꽂혀 호텔 조식 느낌을 내보던 날이 생각났다. 그러고 보니 단 하루도 똑같은 아침밥이 없었다. 아침밥 변주 한 꼬집 덕분에 반복되는 끼니를 질리지 않고 재밌게 챙겨 먹을 수 있었다.

안타깝게도 꼬박꼬박 아침밥을 챙겨 먹는 노력에 비해 건강은 그리 좋진 않았다. 어떤 달에는 종일 술 약속에 몸이 찌들었고, 모든 게 귀찮아 누워만 있다가 최고 몸무게를 경신하고 말았다. 갑작스러운 질병에 꼼짝없이 누운 채로 병원 신세를 지기도 했다. 평소에 적당히 먹고, 꾸준히 운동하고, 술을 먹지 않는 게 가장 좋겠지만, 한 해의 끝자락에서는 그게 또 맘처럼 쉽지 않다는 걸 절감하게 되곤 한다. 혹자가 구차한 핑계라며 호되게 다그친다면, 나는 쭈그려 앉아 울면서 아무 말도 못 하겠지만. 그래도 이따금 무너진 나를 다시금 일으켜 준 팔 할이 아침밥이었다. 아침밥마저 안 챙겨 먹었다면 어땠을까. 상상도 하고 싶지 않다.

피곤한 저녁에 배달 음식만 시켜 먹던 날이 있었다. 퇴근하고 집에 돌아오면, 무기력한 몸과 마음으로 소파에 누워있었고, 쌀국수, 족발, 피자 같은 것들을 시켜 먹으며 하루를 꾸역꾸역 넘겼다. 다먹지 못한 음식들은 냉장고로 직행했다. 다음 날 아침에 일용할 양식이 되어 잔반 걱정이 없었고, 어제의 후회를 기록하며 저녁을 가볍게 먹기로 다짐하는 날도 점점 늘어갔다. 그리고 한가득 챙겨주시는 엄마의 반찬을 기꺼운 마음으로 양손 가득 받아오곤 한다. 그동안 냉장고 안에서 상해가던 엄마의 반찬 때문에 죄책감으로 지내던 시간이여 이제는 안녕! 매일 아침, 부모님에게 아침밥 사진을 카톡으로 보내는 일은 이제 빼놓을 수 없는 일상이 되었다.

3X3 새해 빙고

출발점에 세워둔 내 말이 어느새 후반부에 들어섰고, 다시 새로운 출발점을 향해 달려가고 있다. 사실, 친구들과 함께 시작한 새해 빙고는 단 한 줄의 빙고도 만들지 못했다. 올해가 아직 끝난 게 아니니 빙고 한 줄 정도는 만들 수 있을 것도 같다. 내년 빙고는 어떻게 채울지 벌써 고민되지만, 역시나 '오늘의 아침밥'은 2023년 새해 빙고에서 부동의 센터다. 그만큼 '아침밥'은 올해 나에게 가장 중요한 키워드가 되었다. 나는 요리를 잘하지도 않고, 똑소리 나게 살림을 잘하는 것도 아니다. 음식 사진을 맛깔나게 찍을 줄도 모르고, 글을 유려하게 잘 쓰는 사람은 더더욱 아니다. 아침밥 챙겨 먹는 일에 무슨 대단한 비법 같은 건 없다. 그저 아침밥 챙겨 먹기 위해 30분 일찍 일어나고, 귀찮아도 지하철 안에서 핸드폰으로 아침밥 일기를 쓰고, 용기 내어 부끄러운 아침밥 사진을 인스타 계정에 올리면 된다. 다이어트나 금연처럼 드라마틱한 목표가 아니었고, 그저 끼니를 챙기는 단순한 리추얼에 불과했다. 어쩌면 그래서일까. 나는 여전히 꼬박꼬박 아침을 챙겨 먹고 있고, 하루의 끝에서 내일의 아침밥을 생각한다.(22.10.30)

오늘의 아침밥   [박진영 그림]

"

나는 여전히
꼬박꼬박
아침을 챙겨 먹고 있고,
하루의 끝에서
내일의 아침밥을
생각한다.